Russian with Native Speakers

Listening, Reading, and
Expressing Yourself in Russian

Edited by
Matthew Aldrich
and
Oksana Baranova

lingualism

paperback: ISBN-13: 978-1-949650-01-3

website: www.lingualism.com/russian
email: russian@lingualism.com

Table of Contents

Visit

www.lingualism.com/russian

Audio Tracks
Access the **free** accompanying MP3s, which can be downloaded or streamed from our website.

Online Activities
Learn the vocabulary for each section of the book with **free** interactive flashcards, quizzes, and games.

Anki Flashcards
Study the questions and native speakers' responses using Anki flashcards with audio—available as a separate purchase.

Introduction

Russian with Native Speakers will be of tremendous help to independent language learners who want to develop their conversational skills and increase their Russian vocabulary.

Very simply, *Russian with Native Speakers* presents the results of a survey given to 14 native speakers of Russian, not only from various regions of Russia but also from other Russian-speaking countries, including Ukraine, Belarus, Lithuania, Uzbekistan, Kazakhstan, and Kyrgyzstan. Each of the 30 sections in the book begins with a question from the survey followed by the 14 responses with a breakdown of the vocabulary and concludes with a page where you are encouraged to give your own answer to the question using newly learned words and phrases.

This book was designed in such a way that it can be an effective learning tool for **learners at all levels**:

For **beginners**, even the most basic words are found in the glossaries with their English translations. Even if you find the sentences challenging and cannot understand some of the underlying grammar at work, you will be able to pick up useful phrases while building your vocabulary.

For more **advanced learners**, the texts appear again in the back of the book—without stress marks or translations—to provide a more challenging reading experience without distractions.

The accompanying MP3s, free to download from our website, make up an invaluable part of the learning process, allowing you to hear and mimic native speakers' pronunciation, pitch, intonation, and rhythm.

The author would like to thank all of the contributors for their participation in the *Russian with Native Speakers* project.

How to Use This Book

The sections are numbered, but that does not mean you have to do them in order. Sections do not build on previous sections, and words and phrases found in each section are given even if they appear in other sections. That said, if you are a **beginner**, you will want to do sections 1-10 first, as these lay out even the most basic words (pronouns, prepositions, conjunctions), which are sometimes not given in subsequent sections.

Each section begins with a question presented in formal ("вы") form, as is the norm on surveys.

Vocabulary from the question

A star icon (★) precedes the informal version of the question. This is how you would ask a friend the question.

Vocabulary that appears in more than one of the fourteen responses is listed at the beginning of the section. Words are grouped by part of speech (nouns, numbers, verbs, adjectives, adverbs, pronouns, prepositions, conjunctions) listed in order of appearance.

Each response appears in large, easy-to-read typeface with stress marks and is followed by its English translation.

Under each response, vocabulary not found in other responses in the same section is given.

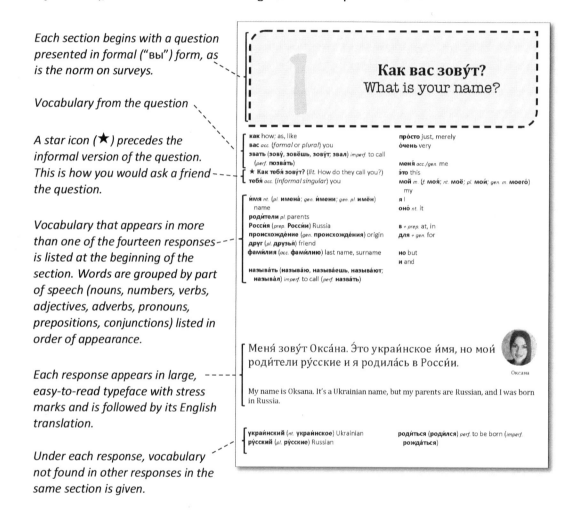

1

Как вас зовут?
What is your name?

как how; as, like
вас *acc.* (*formal or plural*) you
звать (зову́, зовёшь, зову́т; звал) *imperf.* to call (*perf.* позва́ть)
★ Как тебя́ зову́т? (*lit.* How do they call you?)
тебя́ *acc.* (*informal singular*) you

и́мя *nt.* (*pl.* имена́; *gen.* и́мени; *gen. pl.* имён) name
роди́тели *pl.* parents
Росси́я (*prep.* Росси́и) Russia
происхожде́ние (*gen.* происхожде́ния) origin
друг (*pl.* друзья́) friend
фами́лия (*acc.* фами́лию) last name, surname

называ́ть (называ́ю, называ́ешь, называ́ют; называ́л) *imperf.* to call (*perf.* назва́ть)

про́сто just, merely
о́чень very

меня́ *acc./gen.* me
э́то this
мой *m.* (*f.* моя́; *nt.* моё; *pl.* мои́; *gen. m.* моего́) my
я I
оно́ *nt.* it

в + *prep.* at, in
для + *gen.* for

но but
и and

Меня́ зову́т Окса́на. Э́то украи́нское и́мя, но мои́ роди́тели ру́сские и я родила́сь в Росси́и.

Окса́на

My name is Oksana. It's a Ukrainian name, but my parents are Russian, and I was born in Russia.

украи́нский (*nt.* украи́нское) Ukrainian
ру́сский (*pl.* ру́сские) Russian

роди́ться (роди́лся) *perf.* to be born (*imperf.* рожда́ться)

Study the responses. Listen to the MP3s and read the responses. Notice how words are used together. Making note of (or highlighting) groups of words used together in meaningful chunks and memorizing them will help you to produce more natural, idiomatic language. *(Note on MP3s: There is a 3-second pause between each response—not always enough time for you to repeat it, but this should give you time to pause the audio.)*

Give your own response. At the end of each section, there is a page where you can practice using words and phrases you have learned. First, write out the question in the "arrow" box. Then write your own personal response to the question. To find help from native speakers to check your responses, I recommend the website *HiNative.com*.

As you can see, there are places for *two* responses. Whose is the second? Be creative:

- Interview an Russian-speaking friend.
- Interview your teacher or a classmate.
- Use the questions to talk to Russian speakers online on a language exchange web site or app. (I recommend the apps *Tandem* and *HelloTalk* to find language exchange partners.)
- Interview a friend or family member (in English!), and translate (or paraphrase) their answers in Russian.
- Imagine you are interviewing a celebrity or public figure. What might their response be? Use what you know about them, find out more online (Wikipedia, etc.), or just be imaginative.
- Create your own fictional character to answer the questions!

Try your best when answering, but don't worry about making mistakes. These are part of the learning process. You may need to consult a dictionary or a native speaker. If you still cannot find the word you are looking for, go ahead and substitute it in your sentence with the English translation. Perhaps later you will have an opportunity to improve your response.

Practice reading. The questions and responses appear again in the back of the book, written without stress marks and without the distraction of the translations and glossaries. Practice reading them (with or without the audio).

Abbreviations

acc.	accusative	*instr.*	instrumental
anim.	animate	*m.*	masculine
dat.	dative	*nom.*	nominative
f.	feminine	*nt.*	neuter
gen.	genitive	*perf.*	perfective
imperf.	imperfective	*pl.*	plural
inf.	infinitive	*prep.*	prepositional

1

Как вас зову́т?
What is your name?

как how; as, like
вас *acc.* (*formal* or *plural*) you
звать (**зову́, зовёшь, зову́т; звал**) *imperf.* to call
  (*perf.* **позва́ть**)
★ **Как тебя́ зову́т?** (*lit.* How do they call you?)
тебя́ *acc.* (*informal singular*) you

и́мя *nt.* (*pl.* **имена́**; *gen.* **и́мени**; *gen. pl.* **имён**)
  name
роди́тели *pl.* parents
Росси́я (*prep.* **Росси́и**) Russia
происхожде́ние (*gen.* **происхожде́ния**) origin
друг (*pl.* **друзья́**) friend
фами́лия (*acc.* **фами́лию**) last name, surname

называ́ть (**называ́ю, называ́ешь, называ́ют;**
  называ́л) *imperf.* to call (*perf.* **назва́ть**)

про́сто just, merely
о́чень very

меня́ *acc./gen.* me
э́то this
мой *m.* (*f.* **моя́**; *nt.* **моё**; *pl.* **мой**; *gen. m.* **моего́**)
  my
я I
оно́ *nt.* it

в *+ prep.* at, in
для *+ gen.* for

но but
и and

Меня́ зову́т Окса́на. Э́то украи́нское и́мя, но мои́ роди́тели ру́сские и я родила́сь в Росси́и.

Окса́на

My name is Oksana. It's a Ukrainian name, but my parents are Russian, and I was born in Russia.

украи́нский (*nt.* **украи́нское**) Ukrainian
ру́сский (*pl.* **ру́сские**) Russian

роди́ться (**роди́лся**) *perf.* to be born (*imperf.*
  рожда́ться)

Меня́ зову́т Алексе́й. Э́то обы́чное и́мя в Росси́и гре́ческого происхожде́ния.

Алексей

My name is Alexey. This is a common name in Russia [and is] of Greek origin.

обы́чный (*nt.* **обы́чное**) common, usual, ordinary

гре́ческий (*gen.* **гре́ческого**) Greek

Меня́ зову́т Викто́рия. Э́то по́лная фо́рма моего́ и́мени, но вы мо́жете называ́ть меня́ про́сто Ви́ка.

Вика

My name is Victoria. It is the full form of my name, but you can call me Vica.

по́лный full; complete
фо́рма form
вы (*formal* or *plural*) you

мочь (**могу́, мо́жешь, мо́гут; мо́г, могла́, могло́, могли́**) *imperf.* to be able to; can (*perf.* **смочь**)

Меня́ зову́т Арту́р. Э́то и́мя ке́льтского происхожде́ния, и оно́ означа́ет "медве́дь".

Артур

My name is Artur. This name is of Celtic origin and it means "bear."

ке́льтский (*gen.* **ке́льтского**) Celtic
означа́ть (**означа́ет, означа́ют; означа́л**) *imperf.* to mean (*perf.* **озна́чить**)

медве́дь *m.* bear

Меня́ зову́т Танзи́ля. Да́нное и́мя ара́бского происхожде́ния, означа́ющее "ниспо́сланная свы́ше".

Танзиля

My name Tanzilya. This name is of Arabic origin, meaning "sent down from above."

да́нный (*nt.* **да́нное**) this, present, given
ара́бский (*gen.* **ара́бского**) Arabic
означа́ющий (*nt.* **означа́ющее**) meaning,
which means

ниспо́сланный (*f.* **ниспо́сланная**) sent down
свы́ше from above; over

Меня́ зову́т Сама́т Бейсеке́ев. В де́тстве моя́ фами́лия вызыва́ла пробле́мы у учителе́й.

Самат

My name Samat Beisekeyev. As a child, my last name caused problems for teachers.

де́тство (*prep.* **де́тстве**) childhood
вызыва́ть (**вызыва́ю, вызыва́ешь, вызыва́ют;**
вызыва́л) *imperf.* to cause; to call (*perf.*
вы́звать)

пробле́м (*pl.* **пробле́мы**) problem
у at; with, for; to have
учи́тель *m.* (*gen. pl.* **учителе́й**) teacher

Меня́ зову́т Нади́ра, но все друзья́ зову́т меня́ про́сто На́дя.

Надя

My name is Nadira, but all my friends just call me Nadya.

все *pl.* all; everyone

Меня́ зову́т Дми́трий Никола́евич Лагу́ткин. Друзья́ называ́ют меня́ Ба́ся, Бося́к и́ли Баси́ст.

Дмитрий

My name is Dmitriy Nikolaevich Lagutkin. Friends call me Basia, "Tramp" or Bassist.*

бося́к tramp
и́ли or
баси́ст bassist, bass guitarist

*The nicknames started with "Bassist," as Dmitriy is a bass guitarist.

Меня́ зову́т Светла́на. Э́то и́мя да́ли мне при рожде́нии мои́ роди́тели.

Светлана

My name is Svetlana. This name was given to me at birth by my parents.

дать (дал) *perf.* to give (*imperf.* **дава́ть**)
мне *dat.* me

при *+prep.* at the time of
рожде́ние (*prep.* **рожде́нии**) birth

Меня́ зову́т Степа́нов Вади́м Алексе́евич. Я о́чень люблю́ своё и́мя, но не люблю́ фами́лию.

Вадим

My name is Stepanov Vadim Alekseevich. I love my first name, but I do not like my last name.

люби́ть (люблю́, лю́бишь, лю́бят; люби́л)
imperf. to love; to like (*perf.* **полюби́ть**)

свой (*nt.* **своё**) my; one's
не not

Моё вьетна́мское и́мя о́чень дли́нное, поэ́тому в Росси́и и за грани́цей меня́ зову́т про́сто А́ня.

Аня

My Vietnamese name is very long, so in Russia and abroad, my name is simply Anya.

вьетна́мский (*nt.* **вьетна́мское**) Vietnamese
дли́нный (*nt.* **дли́нное**) long
поэ́тому so, therefore

за *+ instr.* beyond; behind
грани́ца border; **за грани́цей** abroad,
   overseas

Меня́ зову́т Владисла́в Ю́рьевич Стасю́к, но для друзе́й я про́сто Влад.

Влад

My name is Vladislav Yurevich Stasiuk, but for friends, I'm just Vlad.

друг (*pl.* **друзья́**; *gen. pl.* **друзе́й**) friend

Меня́ зову́т Кристи́на. Э́то и́мя для меня́ вы́брал де́душка, и оно́ мне о́чень нра́вится.

Кристина

My name is Christina. My grandfather chose this name for me, and I really like it.

вы́брать (**вы́брал**) *perf.* to choose, select (*imperf.*
  выбира́ть)
де́душка *m.* grandfather, grandpa

мне *dat.* me
нра́виться *+ dat.* (**нра́влюсь, нра́вишься,**
  нра́вятся; нра́вился) *imperf.* to be liked by
  (*perf.* **понра́виться**)

Меня́ зову́т Михаи́л. Э́то одно́ из са́мых популя́рных имён в славя́нских стра́нах.

Михаил

My name is Mikhail. This is one of the most popular names in Slavic countries.

оди́н (*nt.* **одно́**) one
из + *gen.* from
са́мый (*gen. pl.* **са́мых**) the most __
популя́рный (*gen. pl.* **популя́рных**) popular

славя́нский (*prep. pl.* **славя́нских**) Slavic
страна́ (*pl.* **стра́ны**; *prep. pl.* **стра́нах**) country

2

Откýда вы?
Where are you from?

откýда from where, where... from
вы (*formal* or *plural*) you
★ **Откýда ты?**
ты (*informal singular*) you

гóрод (*pl.* **городá**; *gen.* **гóрода**) city
óбласть *f.* oblast, province, region
столи́ца (*prep.* **столи́це**) capital
Росси́я (*prep.* **Росси́и**; *instr.* **Росси́ей**) Russia
регио́н (*prep.* **регио́не**) region
респу́блика (*gen.* **респу́блики**; *prep.* **респу́блике**) republic

роди́ться (**роди́лся**) *perf.* to be born (*imperf.* **рожда́ться**)
прожива́ть (**прожива́ю, прожива́ешь, прожива́ют; прожива́л**) *imperf.* to live (*perf.* **прожи́ть**)
вы́расти (**вы́рос, вы́росла, вы́росло, вы́росли**) *perf.* to grow up; to grow (*imperf.* **расти́**)

рóдом by birth

я I
э́то this
мой (*pl.* **мои́**; *f.* **моя́**; *gen. f.* **мое́й**) my

в + *prep.* at, in
из + *gen.* from
на + *prep.* on, at

и and

Я родилáсь в мáленьком гóроде Усóлье-Сиби́рское Иркýтской óбласти, недалекó от óзера Байкáл.

Оксана

I was born in the small town of Usolye-Sibirskoye, Irkutsk oblast, near Lake Baikal.

мáленький (*prep.* **мáленьком**) small, little
Усóлье-Сиби́рское Usolye-Sibirskoye
Иркýтская óбласть *f.* Irkutsk oblast
недалекó near, close

от + *gen.* from
óзеро (*gen.* **óзера**) lake
Байкáл Baikal

Я роди́лся и прожи́л всю жизнь в Москве́, столи́це Росси́и.

Алексей

I was born and lived all my life in Moscow, the capital of Russia.

прожи́ть (прожи́л) *perf.* to live (*imperf.* **прожива́ть**)
вся *f.* (*acc.* **всю**) all

жизнь *f.* (*gen.* **жи́зни**) life
Москва́ (*prep.* **Москве́**) Moscow

Я из Украи́ны. На да́нный моме́нт я прожива́ю в её столи́це, Ки́еве.

Вика

I'm from Ukraine. At the moment, I live in its capital, Kiev.

Украи́на (*gen.* **Украи́ны**) Ukraine
да́нный this, present, given
моме́нт moment

её (*possessive*) its, her; *acc./gen.* it, her
Ки́ев (*prep.* **Ки́еве**) Kiev

Я роди́лся и вы́рос в Новоросси́йске. Э́то го́род в Росси́и на побере́жье Чёрного мо́ря.

Артур

I was born and raised in Novorossiysk. It is a city in Russia on the Black Sea coast.

Новоросси́йск Novorossiysk
побере́жье (*prep.* **побере́жье**) coast

чёрный (*gen.* **чёрного**) black
мо́ре (*gen.* **мо́ря**) sea

Я родила́сь в го́роде Бухара́, располо́женном на ю́ге мое́й ро́дины.

Танзиля

I was born in the city of Bukhara, located in the south of my country.

Бухара́ Bukhara
располо́женный (*prep.* **располо́женном**) located

юг (*prep.* **ю́ге**) south
ро́дина (*gen.* **ро́дины**) homeland, native country

Я роди́лся и вы́рос в го́роде О́мске, кото́рый нахо́дится в Росси́и.

Самат

I was born and raised in the city of Omsk, which is located in Russia.

Омск (*prep.* **О́мске**) Omsk
кото́рый which, that

находи́ться (**нахо́дится, нахо́дятся**) *imperf.* to be located/found

Я ро́дом из го́рода Бишке́к. Бишке́к – э́то столи́ца респу́блики Кыргызста́н.

Надя

I come from the city Bishkek. Bishkek is the capital of the Republic of Kyrgyzstan.

Бишке́к Bishkek

Кыргызста́н Kyrgyzstan

Росси́я, Ура́льский регио́н, Свердло́вская о́бласть, го́род Сухо́й Лог, райо́н Шестидеся́тки (Ю́го-За́падный).

Дмитрий

Russia, the Ural region, Sverdlovsk oblast, the town of Sukhoy Log, Shestidesyatki district (South-West).

ура́льский Ural-
свердло́вский (*f.* **свердло́вская**) Sverdlovsk-
Сухо́й Лог Sukhoy Log

райо́н area, district, neighborhood
ю́го-за́падный southwestern

Я из Казахста́на. Населе́ние Казахста́на семна́дцать миллио́нов челове́к. В Казахста́не прожива́ют 120 (сто два́дцать) национа́льностей.

Светлана

I'm from Kazakhstan. The population of Kazakhstan is seventeen million people. 120 nationalities live in Kazakhstan.

Казахста́н (*gen.* **Казахста́на**) Kazakhstan
населе́ние population
семна́дцать seventeen
миллио́н (*gen. pl.* **миллио́нов**) million
челове́к (*pl.* **лю́ди**; *gen.* **челове́ка**) person, human

сто hundred
два́дцать twenty
национа́льность *f.* (*gen. pl.* **национа́льностей**) nationality

Я роди́лся в Пско́вской о́бласти Росси́и, той ме́стности, где жил Пу́шкин.

Вадим

I was born in the Pskov oblast of Russia, the place where Pushkin lived.

пско́вский (*prep. f.* **пско́вской**) Pskov-
той *gen. f.* that
ме́стность *f.* (*prep.* **ме́стности**) locality, area
где where

жить (**живу́, живёшь, живу́т; жил, жила́, жи́ло, жи́ли**) *imperf.* to live (*perf.* **пожи́ть**)
Пу́шкин Pushkin

Мои́ роди́тели ро́дом из Вьетна́ма, а сама́ я родила́сь и вы́росла в Росси́и.

Аня

My parents are from Vietnam, and I myself was born and raised in Russia.

роди́тели *pl.* parents
Вьетна́м (*gen.* **Вьетна́ма**) Vietnam

а but
сам, сама́, само́, са́ми oneself

Я роди́лся в го́роде Ви́льнюс, в Лито́вской Респу́блике. Э́то в Балти́йском регио́не.

Влад

I was born in the city of Vilnius in the Repubic of Lithuania. It is in the Baltic region.

Ви́льнюс Vilnius
лито́вский Lithuanian

балти́йский (*prep.* **балти́йском**) Baltic

Я из Росси́и, из го́рода Росто́в-на-Дону́. Я здесь родила́сь и вы́росла.

Кристина

I'm from Russia, from Rostov-on-Don. I was born and raised here.

Росто́в-на-Дону́ Rostov-on-Don

здесь here

Я ро́дом из Белару́си. Э́то небольша́я страна́ ме́жду Росси́ей и По́льшей.

Михаил

I am originally from Belarus. It is a small country between Russia and Poland.

Белару́сь *f.* (*gen.* **Белару́си**) Belarus
небольшо́й (*f.* **небольша́я**) small, little
страна́ (*pl.* **стра́ны**) country

ме́жду *+ instr.* between
По́льша (*instr.* **По́льшей**) Poland

3 Ско́лько вам лет?
How old are you?

ско́лько how many; how much
вам *dat.* (*formal or plural*) to you
лет *gen. pl.* years
★ **Ско́лько тебе́ лет?**
тебе́ *dat.* (*informal singular*) to you

год (*gen.* **го́да**; *prep.* **году́**) year

два́дцать twenty
три three
три́дцать thirty
два (*f.* **две**) two
четы́ре four
пять five
ты́сяча one thousand
девятьсо́т nine hundred
девяно́сто ninety
шесть six
восемна́дцать eighteen
оди́н one; alone

бу́дет will be
роди́ться (**роди́лся**) *perf.* to be born (*imperf.* **рожда́ться**)
испо́лниться (**испо́лнится**; **испо́лнился**) *perf.* to become, turn (*imperf.* **исполня́ться**)

сейча́с now
ско́ро soon
уже́ already
ещё yet; again; even more; **всё ещё** still

я I
мне *dat.* me
меня́ *gen.* me
всё *n.* all; everything

на + *prep.* on, at
в + *prep.* at, in

а but
и and

Мне 28 (два́дцать во́семь) лет. Моя́ сестра́ ста́рше меня́ на 3,5 (три с полови́ной) го́да. Сейча́с ей 32 (три́дцать два).

Окса́на

I am 28 years old. My sister is three and a half years older than me. She is now 32.

во́семь eight
моя́ *f.* my
сестра́ (*pl.* **сёстры**) sister
ста́рше older

с + *instr.* with
полови́на (*instr.* **полови́ной**) half
ей *dat.* her

Мне 24 (два́дцать четы́ре) го́да, ско́ро бу́дет 25 (два́дцать пять). Я роди́лся в 1992 (ты́сяча девятьсо́т девяно́сто второ́м) году́ в Москве́.

Алексей

I am 24 years old, soon to be 25. I was born in 1992 in Moscow.

второ́й (*prep.* **второ́м**) second

Москва́ (*prep.* **Москве́**) Moscow

Мне в э́том году́ испо́лнилось 29 (два́дцать де́вять) лет, а в сле́дующем бу́дет юбиле́й.

Вика

This year, I turned 29, and next year will be "the big 30."

э́то (*prep.* **э́том**) this
де́вять nine
сле́дующий (*prep.* **сле́дующем**) next

юбиле́й *m. here:* milestone birthday;
  anniversary, jubilee

Не так давно́ в а́вгусте э́того го́да мне испо́лнилось 26 (два́дцать шесть) лет.

Артур

Not so long ago, in August of this year, I turned 26 years old.

не not
так so
давно́ a long time ago

а́вгуст August
э́то (*gen.* **э́того**) this

На да́нный моме́нт мне 26 (два́дцать шесть) лет. Я родила́сь в конце́ весны́ 1991 (ты́сяча девятьсо́т девяно́сто пе́рвого) го́да.

Танзиля

At the moment, I'm 26 years old. I was born in late spring, 1991.

да́нный this, present, given
моме́нт moment
коне́ц (*prep.* конце́) end, ending

весна́ (*gen.* весны́) spring
пе́рвый (*gen.* пе́рвого) first

Мне 25 (два́дцать пять) лет. Хотя́ все говоря́т, что я вы́гляжу гора́здо моло́же.

Самат

I am 25 years old… although everyone says that I look much younger.

хотя́ although
все *pl.* all; everyone
говори́ть (говорю́, говори́шь, говоря́т; говори́л) *imperf.* to speak; to say (*perf.* сказа́ть)
что that…; what

вы́глядеть (вы́гляжу, вы́глядишь, вы́глядят) *imperf.* to look (like), seem
гора́здо *+ comparative* much (more)
моло́же younger

Я родила́сь 29 (два́дцать девя́того) ма́я в 1997 (ты́сяча девятьсо́т девяно́сто седьмо́м) году́. Соотве́тственно мне сейча́с 20 (два́дцать) лет.

Надя

I was born on May 29, 1997. So I'm 20 now.

девя́тый (*gen.* девя́того) ninth
май (*gen.* ма́я) May

седьмо́й (*prep.* седьмо́м) seventh
соотве́тственно accordingly, correspondingly

Мне 23 (два́дцать три) го́да. Сейча́с мне даю́т 16-18 (шестна́дцать - восемна́дцать) лет на вид.

Дмитрий

I am 23 years old. People think I'm 16-18 judging by my appearance.

дава́ть (даю́, даёшь, даю́т; дава́л) *imperf.* to give (*perf.* дать)

шестна́дцать sixteen
вид appearance; kind, type

Мне 40 (со́рок) лет. Са́мый хоро́ший во́зраст. Я о́чень счастли́вая и у меня́ всё хорошо́.

Светлана

I am 40 years old–the best age. I am very happy, and I'm doing well.

со́рок forty
са́мый the most __
хоро́ший good
во́зраст age
о́чень very

счастли́вый (*f.* счастли́вая) happy
у *+ gen.* at; with, for
всё *nt.* everything; all
хорошо́ well; okay, good

Сейча́с мне уже́ 34 (три́дцать четы́ре) го́да. Ско́ро я отпра́здную свой очередно́й день рожде́ния.

Вадим

I'm already 34 now. Soon I'll be celebrating my next birthday.

отпра́здновать (отпра́здную, отпра́зднуешь, отпра́зднуют; отпра́здновал) *perf.* to celebrate (*imperf.* пра́здновать)
свой one's; my

очередно́й next
день *m.* (*pl.* дни) day
рожде́ние (*gen.* рожде́ния) birth

Мне 21 (два́дцать оди́н) год. Че́рез ме́сяц бу́дет уже́ 22 (два́дцать два).

Аня

I'm 21. In a month, I'll turn 22 already.

че́рез *+ acc.* in... (from now)   **ме́сяц** month

Мне 21 (два́дцать оди́н) год. Ско́ро мне бу́дет 22 (два́дцать два) го́да.

Влад

I'm 21 years old. Soon I will be 22.

В э́том году́ мне испо́лнилось 30 (три́дцать) лет, а в душе́ мне всё ещё восемна́дцать.

Кристина

This year I turned thirty years old, but in my heart I'm still eighteen.

э́то (*prep.* **э́том**) this   **душа́** (*prep.* **душе́**) soul, spirit, heart

Мне 34 (три́дцать четы́ре) го́да, а я всё ещё счита́ю себя́ молоды́м.

Михаил

I'm 34 years old, but I still consider myself young.

счита́ть (счита́ю, счита́ешь, счита́ют; счита́л) *imperf.* to think, feel (*perf.* **посчитать**)

себя́ *acc.* oneself; myself
молодо́й (*instr.* **молоды́м**) young

Когда́ вы роди́лись?

When were you born?

когда́ when
вы (*formal or plural*) you
роди́ться (**роди́лся, родила́сь, роди́лось, роди́лись**) *perf.* to be born (*imperf.* **рожда́ться**)
★ *m.* **Когда́ ты роди́лся?**; *f.* **Когда́ ты родила́сь?**
ты (*informal singular*) you

день *m.* (*pl.* **дни**) day
май May
год (*gen.* **го́да**; *prep.* **году́**) year
СССР the USSR
ма́рт (*gen.* **ма́рта**) March
янва́рь *m.* January
вре́мя *nt.* (*pl.* **времена́**) time

ты́сяча one thousand
девятьсо́т nine hundred
девяно́сто ninety
во́семьдесят eighty
два́дцать twenty

говори́ть (**говорю́, говори́шь, говоря́т; говори́л**) *imperf.* to speak; to say (*perf.* **сказа́ть**)

девя́тый (*gen.* **девя́того**) ninth
пе́рвый first
второ́й (*gen.* **второ́го**) second
шесто́й (*gen.* **шесто́го**) sixth
четвёртый (*gen.* **четвёртого**) fourth

сра́зу immediately; at once, right away, straight

я I
мой (*nt.* **моё**; *f.* **моя́**) my

в *+ prep. or + acc.* at, in
по́сле *+ gen.* after; **сра́зу по́сле** immediately after, right after

что that; what

Я родила́сь 18 (восемна́дцатого) декабря́. Ма́ма говори́т, что э́то был о́чень-о́чень холо́дный день.

Окса́на

I was born on December 18. Mom says that it was a very, very cold day.

восемна́дцать eighteen
дека́брь *m.* (*gen.* **декабря́**) December
ма́ма mom
э́то this

был, была́, бы́ло, бы́ли was/were
о́чень-о́чень very, very
холо́дный cold

Я роди́лся в 1992 (ты́сяча девятьсо́т девяно́сто второ́м) году́, то есть сра́зу по́сле разва́ла Сове́тского Сою́за.

Алексе́й

I was born in 1992, that is, immediately after the division [collapse] of the Soviet Union.

второ́й (*prep.* **второ́м**) second
то есть that is, namely; **то** *nt.* that; **есть** there is/are

разва́л (*gen.* **разва́ла**) division, break-up
сове́тский (*gen.* **сове́тского**) Soviet
сою́з (*gen.* **сою́за**) union, league, alliance

Я родила́сь 9 (девя́того) ма́я 1988 (ты́сяча девятьсо́т во́семьдесят восьмо́го) го́да в День Побе́ды.

Ви́ка

I was born on May 9, 1988, on Victory Day.

восьмо́й (*gen.* **восьмо́го**) eighth

побе́да (*gen.* **побе́ды**) victory

Я роди́лся 17 (семна́дцатого) а́вгуста 1991 (ты́сяча девятьсо́т девяно́сто пе́рвого) го́да. В э́тот год распа́лся СССР.

Арту́р

I was born on August 17, 1991. During that year, the Soviet Union collapsed.

семна́дцатый (*gen.* **семна́дцатого**) seventeenth
а́вгуст August
э́тот *m.* this

распа́сться (**распа́лся**) *perf.* to collapse (*imperf.* **распада́ться**)

Я родила́сь 31 (три́дцать пе́рвого) ма́рта 1991 (ты́сяча девятьсо́т девяно́сто пе́рвого) го́да, воскре́сным я́сным весе́нним днём.

Танзиля

I was born on March 31, 1991, a Sunday on a clear spring day.

три́дцать thirty
воскре́сный (*instr.* **воскре́сным**) Sunday-
я́сный (*instr.* **я́сным**) clear

весе́нний (*instr.* **весе́нним**) spring-
днём *instr.* on a day; in the day

Я роди́лся 16 (шестна́дцатого) января́ 1992 (ты́сяча девятьсо́т девяно́сто второ́го) го́да. Я с уве́ренностью могу́ говори́ть, что роди́лся в 20-ом (двадца́том) ве́ке.

Самат

I was born on January 16, 1992. I can confidently say that I was born in the 20th century.

шестна́дцатый (*gen.* **шестна́дцатого**) sixteenth
с + *instr.* with
уве́ренность *f.* (*instr.* **уве́ренностью**) confidence

мочь (**могу́, мо́жешь, мо́гут; мо́г, могла́, могло́, могли́**) *imperf.* to be able to; can (*perf.* **смочь**)
двадца́тый (*prep.* **двадца́том**) twentieth
век (*prep.* **ве́ке**) century

Я родила́сь 29 (два́дцать девя́того) ма́я 1997 (ты́сяча девятьсо́т девяно́сто седьмо́го) го́да, приме́рно в семь утра́ в четве́рг.

Надя

I was born on May 29, 1997, at about seven in the morning on a Thursday.

седьмо́й (*gen.* **седьмо́го**) seventh
приме́рно about, around, approximately
семь seven

утра́ *gen.* a.m.; of the morning
четве́рг Thursday

Я роди́лся 26 (два́дцать шесто́го) ию́ня 1994 (ты́сяча девятьсо́т девяно́сто четвёртого) го́да.

Дмитрий

I was born on June 26, 1994.

ию́нь (*gen.* **ию́ня**) June

1977 (Ты́сяча девятьсо́т се́мьдесят седьмо́й) год. По гороско́пу "Год О́гненной Змей".

Светлана

1977. According to the Zodiac, "the Year of the Fire Snake."

се́мьдесят seventy
седьмо́й seventh
по + *dat.* according to; by

гороско́п (*dat.* **гороско́пу**) horoscope
о́гненный (*gen.* **о́гненной**) fire-, fiery
змея́ (*gen.* **змей**) snake

Я роди́лся в пе́рвый ме́сяц о́сени, сра́зу по́сле тёплого ле́та.

Вадим

I was born in the first month of autumn, right after a warm summer.

пе́рвый first
ме́сяц month
о́сень *f.* (*gen.* **о́сени**) autumn, fall

тёплый (*gen.* **тёплого**) warm
ле́то (*gen.* **ле́та**) summer

Я родила́сь у́тром 14 (четы́рнадцатого) сентября́ 1995 (ты́сяча девятьсо́т девяно́сто пя́того) го́да.

Аня

I was born in the morning of September 14, 1995.

у́тром *instr.* in the morning
четы́рнадцатый (*gen.* **четы́рнадцатого**) fourteenth

сентя́брь *m.* (*gen.* **сентября́**) September
пя́тый (*gen.* **пя́того**) fifth

Я роди́лся зимо́й, 2 (второ́го) января́ 1996 (ты́сяча девятьсо́т девяно́сто шесто́го) го́да.

Влад

I was born in the winter, on January 2, 1996.

зимо́й *instr.* in the winter

Я родила́сь 29 (два́дцать девя́того) апре́ля. Я ра́да, что родила́сь весно́й. Моё люби́мое вре́мя го́да.

Кристина

I was born on April 29. I'm glad I was born in the spring, my favorite time of the year.

апре́ль *m.* (*gen.* **апре́ля**) April
рад, ра́да, ра́до, ра́ды glad

весно́й *instr.* in the spring
люби́мый (*nt.* **люби́мое**) favorite

Я роди́лся 4 (четвёртого) ма́рта 1983 (ты́сяча девятьсо́т во́семьдесят тре́тьего) го́да в го́роде Ви́тебске. В те времена́ моя́ страна́ называ́лась СССР.

Михаил

I was born on March 4, 1983 in the city of Vitebsk. In those days, my country was called the USSR.

тре́тий (*gen.* **тре́тьего**) third
го́род (*pl.* **города́**; *prep.* **го́роде**) city
Ви́тебск (*prep.* **Ви́тебске**) Vitebsk
те *pl.* those

страна́ (*pl.* **стра́ны**) country
называ́ться (**называ́лся**) *imperf.* to be called
 (*perf.* **назва́ться**)

5

Чем вы занима́етесь?
What do you do?

чем *instr.* what
вы (*formal* or *plural*) you
занима́ться + *instr.* (**занима́юсь, занима́ешься, занима́ются; занима́лся**) *imperf.* to be engaged in; to do (*perf.* **заня́ться**)
★ **Чем ты занима́ешься?**
ты (*informal singular*) you

язы́к (*pl.* **языки́;** *dat.* **языку́**) language
клие́нт customer, client
текст (*pl.* **те́ксты**) text
рабо́та (*acc.* **рабо́ту** job, work

нра́виться + *dat.* (**нра́влюсь, нра́вишься, нра́вятся; нра́вился**) *imperf.* to be liked by (*perf.* **понра́виться**)
рабо́тать (+ *instr.* as) (**рабо́таю, рабо́таешь, рабо́тают; рабо́тал** *imperf.* to work (*perf.* **порабо́тать**)
переводи́ть (**перевожу́, перево́дишь, перево́дят; переводи́л**) *imperf.* to translate (*perf.* **перевести́**)

помога́ть (**помога́ю, помога́ешь, помога́ют; помога́л**) *imperf.* to help (*perf.* **помо́чь**)
учи́ться + *dat.* (**учу́сь, у́чишься, у́чатся; учи́лся**) *imperf.* to study, be a student (*perf.* **вы́учиться**)

ру́сский Russian
англи́йский English
ра́зный (*pl.* **ра́зные;** *dat. pl.* **ра́зным**) different

о́чень very

я I
мне *dat./prep.* me

в + *prep.* at, in
на + *prep.* on, at
с + *gen.* from; + *instr.* with

и and

Я преподава́тель ру́сского языка́ как иностра́нного. Мне о́чень нра́вится то, чем я занима́юсь.

Окса́на

I am a teacher of Russian as a foreign language. I enjoy what I do.*

преподава́тель teacher
как as, like; how
иностра́нный (*gen.* **иностра́нного**) foreign

то *nt.* that; **то, чем** *instr.* what, that which

*Contact Oksana about taking Russian lessons via Skype: **www.lingualism.com/oksana**

Я программи́ст, рабо́таю в ба́нке. Ка́ждый день рабо́таю, что́бы клие́нты бы́ли дово́льны.

Алексей

I am a programmer; I work in a bank. Every day I work to make customers happy.

программи́ст programmer
банк (*gen.* **ба́нке**) bank
ка́ждый every, each
день *m.* (*pl.* **дни**) day

что́бы so that; in order to
был, была́, бы́ло, бы́ли was/were
дово́льный satisfied, content

Я рабо́таю фрила́нсером: даю́ языковы́е уро́ки, перевожу́ те́ксты и́ли у́стные бесе́ды.

Вика

I work as a freelancer: I give language lessons, translate texts or oral conversation.

фрила́нсер (*instr.* **фрила́нсером**) freelance
дава́ть (**даю́, даёшь, даю́т; дава́л**) *imperf.* to give (*perf.* **дать**)
языково́й language-; linguistic
уро́к (*pl.* **уро́ки**) lesson

и́ли or
у́стный oral, verbal
бесе́да conversation, talk

Я рабо́таю в университе́те на факульте́те журнали́стики. Ча́сто мне удаётся поуча́ствовать в прое́ктах на стороне́.

Артур

I work at a university in the faculty of journalism. I often manage to participate in projects on the side.

университе́т (*prep.* **университе́те**) university
факульте́т (*prep.* **факульте́те**) faculty
журнали́стика (*gen.* **журнали́стики**) journalism
ча́сто often
удава́ться (**удаю́сь, удаёшься, удаю́тся; удава́лся**) *imperf.* to turn out well, to be a success (*perf.* **уда́ться**)

поуча́ствовать (**поуча́ствовал**) *perf.* to participate (*imperf.* **уча́ствовать**)
прое́кт (*prep. pl.* **прое́ктах**) project
сторона́ (*prep.* **стороне́**) side

Я рабо́таю разрабо́тчиком моби́льных приложе́ний. На да́нный моме́нт занима́юсь музыка́льным прое́ктом.

Танзиля

I work as a developer of mobile applications. At the moment, I am doing a music project.

разрабо́тчик (*instr.* **разрабо́тчиком**) developer
моби́льный mobile
приложе́ние (*gen. pl.* **приложе́ний**) application, app

да́нный given, present, this
моме́нт moment
музыка́льный (*instr.* **музыка́льным**) musical
прое́кт (*instr.* **прое́ктом**) project

Я занима́юсь перево́дом с англи́йского на ру́сский, та́кже помога́ю в перево́де веб-ко́микса.

Самат

I am engaged in translation from Russian to English, as well as helping in the translation of web comics.

перево́д (*instr.* **перево́дом**; *prep.* **перево́де**) translation

та́кже also, in addition
веб-ко́микс (*gen.* **веб-ко́микса**) webcomic

Я учу́сь на юри́ста в юриди́ческой акаде́мии. Я бу́дущий юри́ст.

Надя

I'm studying to become a lawyer at a law academy. I'm a future lawyer.

юри́ст (*gen.* **юри́ста**) lawyer
юриди́ческий (*prep. f.* **юриди́ческой**) legal, law-

акаде́мия (*prep.* **акаде́мии**) academy
бу́дущий future

Я перевожу́ разли́чные те́ксты, управля́ю email-рассы́лками, пишу́ му́зыку, учу́сь неме́цкому языку́ и игре́ на бараба́нах.

Дмитрий

I translate various texts, manage email-newsletters, write music, study German, and play the drums.

разли́чный (*pl.* **разли́чные**) various, diverse
управля́ть + *instr.* (**управля́ю, управля́ешь, управля́ют; управля́л**) *imperf.* to manage, operate; to drive
рассы́лка (*instr. pl.* **рассы́лками**) sending out, mailing out; distribution

писа́ть (**пишу́, пи́шешь, пи́шут; писа́л**) *imperf.* to write (*perf.* **написа́ть**)
му́зыка (*acc.* **му́зыку**) music
неме́цкий German
игра́ (*dat.* **игре́**) game
бараба́н (*prep. pl.* **бараба́нах**) drum

Я видеореда́ктор. Мне нра́вится де́лать ра́зные ви́део. Мой ви́део есть в YouTube.

Светлана

I am a video editor. I like to make different videos. My videos are on YouTube.

видеореда́ктор video editor
де́лать (**де́лаю, де́лаешь, де́лают; де́лал**) *imperf.* to make; to do (*perf.* **сде́лать**)

ви́део (*pl.* **ви́део**) video
мой *pl.* my
есть there is/are

Я рабо́таю врачо́м в о́фисе, наблюда́ю за здоро́вьем сотру́дников хо́лдинга.

Вадим

I work as a doctor at an office. I look after the health of company employees.

врач (*pl.* **врачи́;** *instr.* **врачо́м**) doctor
о́фис (*prep.* **о́фисе**) office
наблюда́ть за + *instr.* (**наблюда́ю, наблюда́ешь, наблюда́ют; наблюда́л**) *imperf.* to look after, take care of; to observe (*perf.* **понаблюда́ть**)

здоро́вье (*instr.* **здоро́вьем**) health
сотру́дник (*gen. pl.* **сотру́дников**) employee
хо́лдинг (*gen.* **хо́лдинга**) holding company, corporate group

Я рабо́таю преподава́телем англи́йского языка́ в лингвисти́ческом це́нтре на постоя́нной осно́ве.

Аня

I work as an English teacher at a language center on an ongoing basis.

преподава́тель *m.* (*instr.* **преподава́телем**) teacher
лингвисти́ческий language-; linguistic
це́нтр (*prep.* **це́нтре**) center

постоя́нный (*prep. f.* **постоя́нной**) permanent
осно́ва (*prep.* **осно́ве**) basis; base, platform

Я свобо́дный аге́нт, помога́ю ра́зным клие́нтам и выполня́ю йхние* поруче́ния.

Влад

I am a free agent, helping different clients and fulfilling their assignments.

свобо́дный free
аге́нт agent
выполня́ть (**выполня́ю, выполня́ешь, выполня́ют**) *imperf.* to perform, carry out, fulfill (*perf.* **вы́полнить**)

йхний (*pl.* **йхние**) their (* Nonstandard, old-fashioned; Avoid and just use **их.**)
поруче́ние (*gen.* **поруче́ния**) assignment, task, job

Я рабо́таю перево́дчиком. Я о́чень люблю́ свою́ рабо́ту, потому́ что я мно́го путеше́ствую и знако́млюсь с но́выми людьми́.

Кристина

I'm an interpreter. I really love my job because I travel a lot and meet new

перево́дчик (*instr.* **перево́дчиком**) translator, interpreter
люби́ть (**люблю́, лю́бишь, лю́бят; люби́л**) *imperf.* to love; to like (*perf.* **полюби́ть**)
свой (*acc. f.* **свою́**) my; one's
путеше́ствовать (**путеше́ствую, путеше́ствуешь, путеше́ствуют; путеше́ствовал**) *imperf.* to travel (*perf.* **попутеше́ствовать**)

потому́ что because
мно́го a lot, much
знако́миться с *imperf.* (**знако́млюсь, знако́мишься, знако́мятся; знако́мился**) to meet, get to know (*perf.* **познако́миться**)
но́вый (*instr. pl.* **но́выми**) new
лю́ди *pl.* (*instr. pl.* **людьми́**) people

Я рабо́таю ме́неджером в компа́нии, кото́рая занима́ется разрабо́ткой компью́терных игр.

Михаил

I work as a manager at a company that develops computer games.

ме́неджер (*instr.* **ме́неджером**) manager
компа́ния (*prep.* **компа́нии**) company
кото́рый (*f.* **кото́рая**) which

разрабо́тка (*instr.* **разрабо́ткой**) development
компью́терный computer-
игра́ (*pl.* **и́гры**; *gen. pl.* **игр**) game

6

Где вы живёте?
Where do you live?

где where
вы (*formal or plural*) you
жить (**живу́, живёшь, живу́т; жил, жила́, жи́ло, жи́ли**) *imperf.* to live (*perf.* **пожи́ть**)
★ **Где ты живёшь?**
ты (*informal singular*) you

го́род (*pl.* **города́**; *gen.* **го́рода**; *prep.* **го́роде**) city
кварти́ра apartment
дом (*pl.* **дома́**; *prep.* **до́ме**) house
Росси́я (*prep.* **Росси́и**) Russia
столи́ца (*instr.* **столи́цей**; *prep.* **столи́це**) capital

находи́ться (**нахо́дится, нахо́дятся**) *imperf.* to be located/found

большо́й (*prep.* **большо́м**) big, large

я I
кото́рый which

в + *prep.* at, in
с + *instr.* with
на + *prep.* on, at

а but
и and

Я живу́ в своём родно́м го́роде. Пять лет наза́д я жила́ и рабо́тала в Таила́нде.

Окса́на

I live in my hometown. Five years ago, I lived and worked in Thailand.

свой (*prep.* **своём**) one's; my
родно́й (*prep.* **родно́м**) native
пять five
лет *gen. pl.* years

наза́д __ ago
рабо́тать (**рабо́таю, рабо́таешь, рабо́тают; рабо́тал**) *imperf.* to work (*perf.* **порабо́тать**)
Таила́нд (*prep.* **Таила́нде**) Thailand

Я живу́ в кварти́ре в большо́м до́ме в обы́чном райо́не го́рода.

Алексей

I live in an apartment in a large building in a typical part of town.

обы́чный (*prep.* обы́чном) common, usual, ordinary

райо́н (*prep.* райо́не) area, district, neighborhood

Я живу́ в Ки́еве в со́бственной кварти́ре вме́сте с му́жем и сы́ном.

Вика

I live in Kiev in my own apartment with my husband and son.

Ки́ев (*prep.* Ки́еве) Kiev
со́бственный (*prep. f.* со́бственной) own
вме́сте together

муж (*instr.* му́жем) husband
сын (*pl.* сыновья́; *instr.* сы́ном) son

Я живу́ в Санкт-Петербу́рге, кото́рый в сове́тское вре́мя называ́лся Ленингра́д, а в ца́рское – Петрогра́д.

Артур

I live in St. Petersburg, which in Soviet times was called Leningrad, and in the imperial era, Petrograd.

Санкт-Петербу́рг (*prep.* Санкт-Петербу́рге) St. Petersburg
сове́тский (*nt.* сове́тское) Soviet
вре́мя *nt.* (*pl.* времена́) time

называ́ться (называ́лся) *imperf.* to be called (*perf.* назва́ться)
Ленингра́д Leningrad
ца́рский (*nt.* ца́рское) royal, imperial, czarist
Петрогра́д Petrograd

Я живу́ в со́лнечном го́роде Ташке́нт, кото́рый явля́ется столи́цей Респу́блики Узбекиста́н.

Танзиля

I live in the sunny city of Tashkent, which is the capital city of the Republic of Uzbekistan.

со́лнечный (*prep.* со́лнечном) sunny
Ташке́нт Tashkent
явля́ться *+ instr.* (явля́юсь, явля́ешься,
  явля́ются; явля́лся) *imperf.* to be (*perf.* яви́ться)

респу́блика (*gen.* респу́блики) republic
Узбекиста́н Uzbekistan

В го́роде О́мске. Он нахо́дится в О́мской о́бласти и вхо́дит в соста́в Сиби́рского Федера́льного о́круга.

Самат

In the city of Omsk. It is located in Omsk oblast and is part of the Siberian Federal District.

Омск (*prep.* О́мске) Omsk
он *m.* it; he
о́мский (*prep. f.* о́мской) Omsk-
о́бласть *f.* oblast, province, region
входи́ть в *+ acc.* to be a part of

соста́в part, component
сиби́рский (*gen.* сиби́рского) Siberian
федера́льный (*gen.* федера́льного) federal
о́круг (*gen.* о́круга) district, region

Я живу́ в ю́жной ча́сти го́рода, ря́дом с па́рком и музе́ем.

Надя

I live in the southern part of the city, near a park and a museum.

ю́жный (*prep.* ю́жной) southern
часть *f.* (*pl.* ча́сти; *prep.* ча́сти) part
ря́дом с *+ instr.* beside, near, next to

парк (*instr.* па́рком) park
музе́й *m.* (*instr.* музе́ем) museum

Я живу́ в ча́стном до́ме, в ча́стном се́кторе на ю́го-за́паде Сухо́го Ло́га.

Дмитрий

I live in a detached house, in a residential district in the southwest of Sukhoy Log.

ча́стный (*prep* **ча́стном**) private
се́ктор (*prep.* **се́кторе**) sector

ю́го-за́пад (*prep.* **ю́го-за́паде**) southwest
Сухо́й Лог (*gen.* **Сухо́го Ло́га**) Sukhoy Log

Я живу́ в го́роде Алматы́. Го́род Алматы́ нахо́дится у подно́жья гор.

Светлана

I live in the city of Almaty. Almaty is located at the foot of mountains.

Алматы́ Almaty
у *+ gen.* at

подно́жье (*gen.* **подно́жья**) foot, base
гора́ (*pl.* **го́ры**; *gen. pl.* **гор**) mountain

Росси́я – са́мая больша́я страна́ в ми́ре, а я живу́ во второ́м по величине́ го́роде.

Вадим

Russia, the largest country in the world, and I live in the second largest city.

са́мый the most __
страна́ (*pl.* **стра́ны**) country
ми́р (*prep.* **ми́ре**) world
во (= **в**) *+ prep.* at, in

второ́й (*prep.* **второ́м**) second
по *+ dat.* according to; by
величина́ (*dat.* **величине́**) size

На да́нный моме́нт я живу́ в Росси́и, а и́менно в го́роде Москве́.

Аня

Presently, I live in Russia, or more precisely, in Moscow.

да́нный present, given, this
моме́нт moment

и́менно exactly
Москва́ (*prep.* **Москве́**) Moscow

Ро́дом я из Литвы́, но сейча́с я прожива́ю в го́роде Лидс, А́нглия.

Влад

I come from Lithuania, but now I live in the city of Leeds, England.

ро́дом by birth
из *+ gen.* from
Литва́ (*gen.* **Литвы́**) Lithuania
но but
сейча́с now

прожива́ть (**прожива́ю, прожива́ешь, прожива́ют; прожива́л**) *imperf.* to live (*perf.* **прожи́ть**)
Лидс Leeds
А́нглия England

Я живу́ в Росси́и, в го́роде Росто́в-на-Дону́. Я о́чень люблю́ свой го́род.

Кристина

I live in Russia, in Rostov-on-Don. I love my city very much.

Росто́в-на-Дону́ Rostov-on-Don
о́чень very much, a lot; very

люби́ть (**люблю́, лю́бишь, лю́бят; люби́л**) *imperf.* to love; to like (*perf.* **полюби́ть**)
свой one's; my

Я живу́ в столи́це Белару́си – в Ми́нске. Для меня́ э́то лу́чший го́род.

Михаил

I live in the capital of Belarus, Minsk. For me, it is the best city.

Белару́сь *f.* (*gen.* **Белару́си**) Belarus
Минск (*prep.* **Ми́нске**) Minsk
для *+ gen.* for

меня́ *gen.* me
э́то this
лу́чший best

7

Вы жена́ты?
Вы за́мужем?
Are you married?

вы (*formal or plural*) you
жена́т *m.* (*pl.* жена́ты) married
за́мужем *f.* (*pl.* за́мужем) married
★ *m.* Ты жена́т?; *f.* Ты за́мужем?
ты (*informal singular*) you

брак (*prep.* бра́ке) marriage; в бра́ке married
год (*gen.* го́да; *gen. pl.* лет) year
моме́нт moment

два (*f.* две) two

плани́ровать (плани́рую, плани́руешь,
    плани́руют; плани́ровал *imperf.* to plan (*perf.*
    сплани́ровать)
жить (живу́, живёшь, живу́т; жил, жила́,
    жи́ло, жи́ли) *imperf.* to live (*perf.* пожи́ть)

да́нный present, given, this

не not
вме́сте together
ещё не not yet
пока́ (что) ещё not yet; пока́ for the time being
уже́ already
нет no

я I
мы we
мой (*gen. pl.* мои́х; *instr. f.* мое́й) my
меня́ *gen.* me
кото́рый (*instr.* кото́рым; *instr. f.* кото́рой) which

с + *instr.* with
в + *prep.* at, in
у + *gen.* (есть) have; у меня́ (есть) I have
на + *prep.* on, at

но but
и and

Официа́льно я не за́мужем, но мы живём
вме́сте с люби́мым челове́ком.

Оксана

Officially, I'm not married, but I live with someone I love.

официа́льно officially
жить (живу́, живёшь, живу́т; жил, жила́,
    жи́ло, жи́ли) *imperf.* to live (*perf.* пожи́ть)

люби́мый (*instr.* люби́мым) loved; favorite
челове́к (*pl.* лю́ди; *instr.* челове́ком) person,
    human

Я хо́лост, пока́ ещё не жени́лся, хотя́ часть мои́х све́рстников уже́ в бра́ке.

Алексей

I'm single, not yet married although some of my peers are already married.

хо́лост (холосто́й) single
жени́ться to get married
хотя́ although

часть *f.* (*pl.* **ча́сти**) part, portion
све́рстник (*gen. pl.* **све́рстников**) peer

Я за́мужем. Мой муж иностра́нец, и э́то не меша́ет нам жить сча́стливо.

Вика

I'm married. My husband is a foreigner, but that does not prevent us from living happily.

муж husband
иностра́нец (*pl.* **иностра́нцы**) foreigner
э́то this

меша́ть *+ dat. + inf.* (**меша́ю, меша́ешь, меша́ют; меша́л**) *imperf.* to prevent *someone* from (*perf.* **помеша́ть**)
нам *dat.* (to) us
сча́стливо happily

Нет, я не жена́т, но плани́рую, потому́ что у меня́ есть кое-кто́ на при́мете.

Артур

No, I'm not married, but I plan to, because I have someone in mind.

потому́ что because
кое-кто́ someone

на при́мете (*idiomatic*) in mind; **приме́та** (*prep.* **при́мете**) mark, sign

Я не за́мужем и не плани́рую справля́ть
сва́дьбу в ближа́йшие па́ру лет.

Танзиля

I am not married and do not plan to celebrate a wedding in the next couple of
years.

справля́ть (справля́ю, справля́ешь,
  справля́ют; справля́л) *imperf.* to celebrate
  (*perf.* спра́вить)
сва́дьба (*acc.* сва́дьбу) wedding

ближа́йший (*pl.* ближа́йшие) nearest, closest
па́ра (*acc.* па́ру) + *gen.* pair; a pair/couple of __

Нет, я не жена́т. В отноше́ниях на да́нный
моме́нт то́же не состою́.

Самат

No, I am not married. At the moment, I'm not in a relationship, either.

отноше́ние (*prep. pl.* отноше́ниях) relations,
  relationship
то́же also

состоя́ть (состою́, состои́шь, состоя́т;
  состоя́л) to be; to consist of; to be a
  member of

Нет, я не за́мужем пока́, но у меня́ есть па́рень.

Надя

No, I'm not married yet, but I have a boyfriend.

па́рень *m.* boyfriend; guy

Я, так сказа́ть, в гражда́нском бра́ке; с мое́й
ба́рышней мы вме́сте уже́ шесть лет.

Дмитрий

I am, so to speak, in a civil marriage; "my lady" and I have been together for six
years.

так so
сказа́ть (сказа́л) *perf.* to say, speak, tell (*imperf.*
говори́ть)

гражда́нский (*prep.* **гражда́нском**) civil
ба́рышня (*instr.* **ба́рышней**) (*archaic*) young
   lady
шесть six

Да. Я за́мужем. У меня́ больша́я и дру́жная
семья́. В на́шей семье́ есть две соба́ки.

Светлана

Yes. I'm married. I have a big, harmonious family. We have two dogs in the
family.

да yes
большо́й (*f.* **больша́я**) big, large
дру́жный (*f.* **дру́жная**) friendly, harmonius,
   on good terms

семья́ *f.* (*prep.* **семье́**) family
наш (*prep. f.* **на́шей**) our
соба́ка (*gen.* **соба́ки**) dog

Я жена́т с 2008 (две ты́сячи восьмо́го) го́да и
живу́ вме́сте с жено́й в Санкт-Петербу́рге.

Вадим

I have been married since 2008 and live with my wife in St. Petersburg.

ты́сяча (*gen.* **ты́сячи**) thousand
восьмо́й (*gen.* **восьмо́го**) eighth
жена́ (*instr.* **жено́й**) wife

Санкт-Петербу́рг (*prep.* **Санкт-Петербу́рге**)
   St. Petersburg

Нет, на да́нный моме́нт я пока́ что ещё не за́мужем.

Аня

No, at the moment I'm not yet married.

Я не жена́т, но я встреча́юсь с де́вушкой, с кото́рой у меня́ серьёзные отноше́ния.

Влад

I'm not married, but I'm dating a girl with whom I have a serious relationship.

встреча́ться с + *instr.* (**встреча́юсь, встреча́ешься, встреча́ются,**) *imperf.* to meet (*perf.* **встре́титься**)
де́вушка (*instr.* **де́вушкой**) young woman, girl

серьёзный (*pl.* **серьёзные**) serious
отноше́ние (*pl.* **отноше́ния**) relations, relationship

Я не за́мужем, но у меня́ есть жени́х, с кото́рым мы плани́руем пожени́ться.

Кристина

I'm not married, but I have a fiancé I'm planning to get married to.

жени́х (*pl.* **женихи́**) fiancé; groom

пожени́ться (**пожени́лся**) *perf.* to get married (*imperf.* **жени́ться**)

Я жена́т, и у меня́ дво́е дете́й: ста́рший сын и мла́дшая дочь.

Михаил

I am married and have two children: an elder son and younger daughter.

дво́е *+ gen. m. pl.* two
ребёнок (*pl.* де́ти; *gen. pl.* дете́й) child
ста́рший oldest, elder

сын (*pl.* сыновья́) son
мла́дший (*f.* мла́дшая) younger
дочь *f.* (*pl.* до́чери) daughter

8

У вас есть бра́тья и́ли сёстры?
Do you have any brothers or sisters?

у *+ gen.* **есть** have
вас *gen.* (*formal* or *plural*) you; **у вас есть** you have
есть there is/are
брат (*pl.* **бра́тья**; *gen. pl.* **бра́тьев**; *acc.* **бра́та**) brother
и́ли or
сестра́ (*pl.* **сёстры**; *gen.* **сестры́**; *gen. pl.* **сестёр**; *acc.* **сестру́**) sister
★ **У тебя́ есть бра́тья и́ли сёстры?**
тебя́ *gen.* (*informal singular*) you; **у тебя́** you have

год (*gen.* **го́да**; *gen. pl.* **лет**) year

оди́н (*f.* **одна́**) one; alone

звать (**зову́, зовёшь, зову́т; звал**) *imperf.* to call (*perf.* **позва́ть**)

ста́рший (*f.* **ста́ршая**) oldest, elder

похо́ж (*pl.* **похо́жи**) similar
мла́дший (*f.* **мла́дшая**) younger, youngest
двою́родный (*gen. pl.* **двою́родных**) first cousin-

да yes
не not
о́чень very

меня́ *gen.* me; **у меня́ (есть)** I have
мы we
ему́ *dat.* him
его́ *acc.* him; his
он he; it
я I

с *+ instr.* with
на *+ prep.* on, at
в *+ prep.* at, in

и and

Да, у меня́ есть ста́ршая сестра́ Ка́тя. Мы с ней абсолю́тно не похо́жи.

Оксана

Yes, I have an older sister, Katya. We are nothing alike.

с ней with her

абсолю́тно absolutely

У меня́ есть ста́рший брат. Мы с ним о́чень похо́жи.

Алексей

I have an older brother. We are very similar.

с ним with him

У меня́ есть оди́н брат. Не представля́ю свою́ жизнь без него́.

Вика

I have one brother. I can not imagine my life without him.

представля́ть (представля́ю, представля́ешь, представля́ют; представля́л) *imperf.* to imagine (*perf.* **предста́вить**)

свой (*acc. f.* **свою́**) one's; my
жизнь *f.* (*gen.* **жи́зни**) life
без него́ without him

У меня́ есть брат. Ему́ 5 (пять) лет. Та́кже у меня́ есть сестра́. Ей 18 (восемна́дцать).

Артур

I have a brother. He's five. I also have a sister. She is 18.

пять five
та́кже also, in addition

ей *dat.* her
восемна́дцать eighteen

У меня́ есть замеча́тельная ста́ршая сестра́ и тро́е двою́родных бра́тьев.

Танзиля

I have a wonderful older sister and three cousins.

замеча́тельный (*f.* **замеча́тельная**)
  remarkable, wonderful, great

тро́е + *gen. m. pl.* three

Да, у меня́ есть брат. Его́ зову́т Жана́т. Он ста́рше меня́ на 8 (во́семь) лет.

Самат

Yes, I have a brother. His name is Zhanat. He's eight years older than me.

ста́рше (+ *gen.*) older (than)

во́семь eight

У меня́ о́чень больша́я семья́, так как у меня́ четы́ре сестры́ и дво́е брати́шек.

Надя

I have a very large family, as I have four sisters and two little brothers.

большо́й (*f.* **больша́я**) big, large
семья́ *f.* family
так как as, since, because

четы́ре four
дво́е + *gen. m. pl.* two
брати́шка *m.* (*gen. pl.* **брати́шек**) little brother

Да, у меня́ есть мла́дший брат. Его́ зову́т Ю́рий, он мла́дше на 3 (три) го́да.

Дмитрий

Yes, I have a younger brother. His name's Yuri. He is three years younger.

мла́дше younger   **три** three

У меня́ нет бра́та и сестры́. Я у па́пы и ма́мы одна́.

Светлана

I don't have a brother or sister. My mom and dad just have me.

нет *+ gen.* no   **ма́ма** (*gen.* **ма́мы**) mom
па́па (*gen.* **па́пы**) dad

У меня́ есть одна́ родна́я сестра́ и мно́го двою́родных бра́тьев и сестёр.

Вадим

I have one sister and many cousins.

родно́й (*f.* **родна́я**) by birth; native; **родна́я**
   сестра́ sister (as opposed to **двою́родная**
   сестра́ female first cousin)   **мно́го** *+ gen. pl.* a lot of, many

У меня́ есть оди́н мла́дший брат и одна́ мла́дшая сестра́.

Аня

I have one younger brother and one younger sister.

У меня́ есть ста́рший брат. Его́ зову́т Ди́ма. Ему́ 27 (два́дцать семь) лет.

Влад

I have an older brother. His name is Dima. He is 27 years old.

звать (зову́, зовёшь, зову́т; звал) *imperf.* to call (*perf.* **позва́ть**)

два́дцать twenty
семь seven

У меня́ есть сестра́, кото́рая живёт в друго́й стране́, и мы ре́дко ви́димся.

Кристина

I have a sister who lives in another country and we rarely see each other.

кото́рый (*f.* **кото́рая**) which
жить (живу́, живёшь, живу́т; жил, жила́, жи́ло, жи́ли) *imperf.* to live (*perf.* **пожи́ть**)
друго́й (*prep. f.* **друго́й**) other
страна́ (*pl.* **стра́ны**; *dat.* **стране́**) country

ре́дко seldom, rarely
ви́деться (ви́жусь, ви́дишься, ви́дятся) *imperf.* to see each other, meet (*perf.* **уви́деться**)

К сожале́нию, я оди́н в семье́, но я всегда́ хоте́л име́ть бра́та и́ли сестру́.

Михаил

Unfortunately, I'm an only child, but I always wanted to have a brother or sister.

к сожале́нию unfortunately
семья́ *f.* (*prep.* **семье́**) family
но but
всегда́ always

хоте́ть (хочу́, хо́чешь, хотя́т; хоте́л) *imperf.* to want (*perf.* **захоте́ть**)
име́ть (име́ю, име́ешь, име́ют; име́л) *imperf.* to have

Вы говори́те на иностра́нных языка́х?
Do you speak any foreign languages?

вы (*formal* or *plural*) you
говори́ть (говорю́, говори́шь, говоря́т; говори́л) *imperf.* to speak; to say (*perf.* сказа́ть)
на + *prep.* in, on, at
иностра́нный (*prep. pl.* иностра́нных) foreign
язы́к (*pl.* языки́; *prep.* языка́х; *instr.* языко́м; *instr. pl.* языка́ми) language
★ Ты говори́шь на иностра́нных языка́х?
ты (*informal singular*) you

три (*prep.* трёх) three

хоте́ть (хочу́, хо́чешь, хотя́т; хоте́л) *imperf.* to want (*perf.* захоте́ть)
владе́ть + *instr.* (владе́ю, владе́ешь, владе́ют) *imperf.* to master, have control over; to own (*perf.* завладе́ть)
вы́учить (вы́учу, вы́учишь, вы́учат; вы́учил) *perf.* to learn (*imperf.* учи́ть)

францу́зский (*prep.* францу́зском) French
англи́йский (*prep.* англи́йском) English
неме́цкий (*prep.* неме́цком) German
кита́йский Chinese
ру́сский (*gen.* ру́сского) Russian

да yes
по-англи́йски in English
на англи́йском (языке́) (in) English
хорошо́ well; okay, good
свобо́дно fluently
в бу́дущем in the future
немно́го a little, somewhat
сейча́с now

я I
э́то this

в + *prep.* at, in

и and

Да, я учи́лась в лингвисти́ческом университе́те и говорю́ по-англи́йски, по-францу́зски и по-португа́льски.

Окса́на

Yes, I studied at a linguistic university and speak English, French, and Portuguese.

учи́ться (учу́сь, у́чишься, у́чатся; учи́лся) *imperf.* to study, be a student (*perf.* вы́учиться)
лингвисти́ческий (*prep.* лингвисти́ческом) linguistic

университе́т (*prep.* университе́те) university
по-францу́зски in French
по-португа́льски in Portuguese

Я хорошо́ говорю́ по-англи́йски, так как э́тот язы́к преподаю́т во всех шко́лах.

Алексей

I speak English well, as this language is taught in all the schools.

так как as, since, because
э́тот *m.* this
преподава́ть (преподаю́, преподаёшь, преподаю́т; преподава́л) *imperf.* to teach (*perf.* **препода́ть)**

во (= в) *+ prep.* at, in
все *pl.* (*prep. pl.* **всех)** all
шко́ла (*prep. pl.* **шко́лах)** school

Я говорю́ свобо́дно на двух иностра́нных языка́х: на англи́йском и на францу́зском.

Вика

I speak two foreign languages fluently: English and French.

два (*prep.* **двух)** two

Я говорю́ на англи́йском и неме́цком языка́х. В бу́дущем хочу́ осво́ить голла́ндский и́ли шве́дский.

Артур

I speak English and German. In the future, I want to learn Dutch or Swedish.

осво́ить (осво́ил) *perf.* to learn well, master (*imperf.* **осва́ивать)**
голла́ндский Dutch

и́ли or
шве́дский Swedish

Да, я свобо́дно обща́юсь на англи́йском языке́ и немно́го на узбе́кском.

Танзиля

Yes, I [can] communicate fluently in English and a bit in Uzbek.

обща́ться (обща́юсь, обща́ешься, обща́ются; обща́лся) *imperf.* to communicate (*perf.* пообща́ться)

узбе́кский (*prep.* узбе́кском) Uzbek

Да, я дово́льно хорошо́ владе́ю англи́йским языко́м, да́же прошёл па́ру те́стов.

Самат

Yes, I have a good command of English. I've even passed a couple of tests.

дово́льно rather, fairly, pretty
да́же even
пройти́ (прошёл, прошла́, прошло́, прошли́) *imperfect.* (*unidirectional*) to pass; to go by (*multidirectional* проходи́ть)

па́ра (*acc.* па́ру) *+ gen.* pair; a pair/couple of ___
тест (*gen. pl.* те́стов) test

Да, я могу́ говори́ть на трёх иностра́нных языка́х. Это кита́йский, англи́йский и кыргы́зский.

Надя

Yes, I can speak three foreign languages: Chinese, English, and Kyrgyz.

мочь (могу́, мо́жешь, мо́гут; мо́г, могла́, могло́, могли́) *imperf.* to be able to; can (*perf.* смочь)

кыргы́зский Kyrgyz

Да, поми́мо ру́сского я владе́ю англи́йским и неме́цким языка́ми. Неме́цкий зна́ю ху́же.

Дмитрий

Yes, besides Russian, I speak English and German. My German is worse [than my English].

поми́мо *+ gen.* besides, apart from
знать (зна́ю, зна́ешь, зна́ют; знал) *imperf.* to know (*perf.* **узна́ть**)

ху́же worse

Я учу́ англи́йский. Че́рез шесть ме́сяцев я бу́ду хорошо́ говори́ть на англи́йском. Э́то сейча́с гла́вное.

Светлана

I am learning English. In six months, I will speak English well. This is now the priority.

учи́ть (учу́, у́чишь, у́чат; учи́л) *imperf.* to study, learn (*perf.* **вы́учить**)
че́рез *+ acc.* in... (from now)
шесть six

ме́сяц (*gen. pl.* **ме́сяцев**) month
бу́дни *pl.* weekdays, working days
гла́вное the main thing, priority

Я говорю́ на англи́йском языке́, но не о́чень бе́гло. Пишу́ я лу́чше.

Вадим

I speak English, but not very fluently. I write better.

но but
не not
о́чень very
бе́гло fluently

писа́ть (пишу́, пи́шешь, пи́шут; писа́л) *imperf.* to write (*perf.* **написа́ть**)
лу́чше better

Да, я свобо́дно говорю́ на трёх языка́х. Сейча́с ещё пыта́юсь вы́учить кита́йский.

Аня

Yes, I speak three languages fluently. I'm also trying to learn Chinese now.

ещё also, in addition; yet; still; even more

пыта́ться (пыта́юсь, пыта́ешься, пыта́ются; пыта́лся) *imperf.* to try (*perf.* **попыта́ться**)

Я говорю́ на трёх языка́х: ру́сском, лито́вском, англи́йском и немно́го на кита́йском.

Влад

I speak three languages: Russian, Lithuanian, English, and a little Chinese.

лито́вский (*prep.* **лито́вском**) Lithuanian

Я говорю́ на англи́йском, испа́нском и неме́цком. В бу́дущем я хочу́ вы́учить францу́зский.

Кристина

I can speak English, Spanish and German. In the future, I want to learn French.

испа́нский (*prep.* **испа́нском**) Spanish

Я свобо́дно разгова́риваю по-англи́йски и совсе́м немно́го по-неме́цки.

Михаил

I speak fluent English and just a little German.

разгова́ривать (**разгова́риваю,** **разгова́риваешь, разгова́ривают**; **разгова́ривал**) *imperf.* to talk

совсе́м entirely, totally
совсе́м немно́го very little
по-неме́цки in German

Какой ваш любимый цвет?
What is your favorite color?

какой which, what
ваш (*formal* or *plural*) your
любимый (*pl.* **любимые**; *gen. pl.* **любимых**)
  favorite
цвет (*pl.* **цвета**; *gen.* **цвета**; *gen. pl.* **цветов**) color
★ **Какой твой любимый цвет?**
твой (*informal singular*) your

небо (*pl.* **небеса**; *gen.* **неба**) sky

нравиться + *dat.* (**нравлюсь, нравишься,
  нравятся; нравился**) *imperf.* to be liked by (*perf.*
  понравиться)
напоминать + *dat.* (+ *acc.* or **о** + *prep.*)
  (**напоминаю, напоминаешь, напоминают;
  напоминал**) *imperf.* to remind __ (of) (*perf.*
  напомнить)

белый white
чёрный black
голубой light blue
синий blue
зелёный green
розовый pink
красный red
жёлтый yellow

мой (*pl.* **мои**) my
мне *dat.* me
он he; it
это this
меня *acc./gen.* me

о + *prep.* about
в + *prep.* at, in
у + *gen.* **есть** have

и and

Мой любимый цвет – коричневый, если говорить о косметике, например. В одежде мне больше нравится синий.

Оксана

My favorite color is brown, when it comes to cosmetics, for example. For clothes, I like blue more.

коричневый brown
если if
говорить (**говорю, говоришь, говорят;
  говорил**) *imperf.* to speak; to say (*perf.* **сказать**)

косметика (*prep.* **косметике**) cosmetics,
  makeup
например for example
одежда (*prep.* **одежде**) clothes
больше more

Мой люби́мый цвет – си́ний. Он мне напомина́ет чи́стое я́сное не́бо.

Алексей

My favorite color is blue. It reminds me of a pristine, clear sky.

чи́стый (*nt.* **чи́стое**) pure

я́сный (*nt.* .**я́сное**)clear

Я люблю́ зелёный цвет, ведь э́то цвет приро́ды. А та́кже мне нра́вится ро́зовый.

Вика

I love green. After all, it's the color of nature. And I also like pink.

я I
люби́ть (**люблю́, лю́бишь, лю́бят; люби́л**)
   imperf. to love; to like (*perf.* **полюби́ть**)
ведь because; you see; after all

приро́да (*gen.* **приро́ды**) nature
а but
та́кже also, in addition

Мой люби́мый цвет – кра́сный; он напомина́ет мне о со́лнце и ле́те.

Артур

My favorite color is red. It reminds me of the sun and summer.

со́лнце (*prep.* **со́лнце**) (the) sun

ле́то (*prep.* **ле́те**) summer

Э́то зави́сит от настрое́ния. Мои́ люби́мые цвета́ в хоро́шие дни – зелёный и жёлтый.

Танзиля

It depends on my mood. My favorite colors on good days are green and yellow.

зави́сит (от + *gen.***)** it depends (on)
от + *gen.* from
настрое́ние mood

хоро́ший (*pl.* **хоро́шие**) good
день *m.* (*pl.* **дни**) day

Бе́лый. Мне всегда́ нра́вился бе́лый цвет. Он создаёт у меня́ ощуще́ние чистоты́.

Самат

White. I've always liked the color white. It creates in me a feeling of purity.

всегда́ always
**создава́ть (создаю́, создаёшь, создаю́т;
 создава́л)** *imperf.* to create (*perf.* **созда́ть**)

ощуще́ние feeling
чистота́ (*gen.* **чистоты́**) purity, cleanliness

Зелёный цвет – э́то цвет травы́ и дере́вьев, поэ́тому он мой люби́мый цвет.

Надя

Green is the color of grass and trees, so it's my favorite color.

трава́ (*gen.* **травы́**) grass; herb
де́рево (*pl.* **дере́вья**; *gen. pl.* **дере́вьев**) tree

поэ́тому so, therefore

Чёрный, си́ний, зелёный, бе́лый. Не могу́ сказа́ть то́чно. Не заду́мывался.

Дмитрий

Black, blue, green, white. I can not say for sure. I haven't thought about it.

не not
мочь (могу́, мо́жешь, мо́гут; мо́г, могла́, могло́, могли́) *imperf.* to be able to; can (*perf.* смочь)
сказа́ть (сказа́л) *perf.* to tell (*imperf.* **говори́ть**)

то́чно exactly, precisely
заду́мываться (заду́мываюсь, заду́мываешься, заду́мываются; заду́мывался) *imperf.* to ponder, think (*perf.* **заду́маться**)

Мне нра́вятся цвета́ голубо́й и ро́зовый. Но мой люби́мый цвет – зелёный.

Светлана

I like the colors blue and pink. But my favorite color is green.

но but

Кра́сный – цвет стра́сти и возбужде́ния. Он помога́ет мне чу́вствовать себя́ лу́чше.

Вадим

Red is the color of passion and excitement. It helps me feel better.

страсть *f.* (*gen.* **стра́сти**) passion
возбужде́ние (*gen.* **возбужде́ния**) excitement
помога́ть *+ dat.* (помога́ю, помога́ешь, помога́ют; помога́л) *imperf.* to help (*perf.* помо́чь)

чу́вствовать себя́ (чу́вствую, чу́вствуешь, чу́вствуют; чу́вствовал) *imperf.* to feel (*perf.* почу́вствовать)
себя́ oneself; myself
лу́чше better

У меня́ есть не́сколько люби́мых цвето́в: чёрный, жёлтый, фиоле́товый, и бе́лый.

Аня

I have several favorite colors: black, yellow, purple, and white.

есть there is/are
не́сколько *+ gen. pl.* several

фиоле́товый purple, violet

Мой люби́мый цвет – э́то чёрный, хотя́ мне ещё нра́вится тёмно-си́ний.

Влад

My favorite color is black, although I also like dark blue.

хотя́ although
ещё also, in addition; yet; still; even more

тёмно-си́ний dark blue

Мой люби́мый цвет – голубо́й. Это цвет мо́ря и океа́на, цвет не́ба и све́жего во́здуха.

Кристина

My favorite color is blue. It's the color of the sea and the ocean, the color of the sky and fresh air.

мо́ре (*gen.* **мо́ря**) sea
океа́н (*gen.* **океа́на**) ocean

све́жий fresh
во́здух (*gen.* **во́здуха**) air

Мой люби́мый цвет – зелёный. Он успока́ивает и настра́ивает на позити́в.

Михаил

My favorite color is green. It calms and makes you feel positive.

успока́ивать (успока́иваю, успока́иваешь, успока́ивают; успока́ивал) *imperf.* to calm, soothe (*perf.* **успоко́ить**)

настра́ивать (настра́иваю, настра́иваешь, настра́ивают; настра́ивал) *imperf.* to configure, adjust, tune (*perf.* **настро́ить**)
позити́в positive

11

Вы занима́етесь каки́м-нибу́дь спо́ртом?
Do you play any sports?

занима́ться + *instr.* (**занима́юсь, занима́ешься, занима́ются; занима́лся**) *imperf.* to be engaged in; to do (*perf.* **заня́ться**)
како́й-нибу́дь (*instr.* **каки́м-нибу́дь**) some, any
спорт (*instr.* **спо́ртом**) sport
★ Ты занима́ешься каки́м-нибу́дь спо́ртом?

зал gym; living room
фи́тнес (*instr.* **фи́тнесом**) fitness
йо́га (*dat.* **йо́ге**) yoga
баскетбо́л basketball
лет *gen. pl.* years

ходи́ть (**хожу́, хо́дишь, хо́дят; ходи́л**) *imperf.*
(*multidirectional*) to go **походи́ть**
люби́ть (**люблю́, лю́бишь, лю́бят; люби́л**)
imperf. to love; to like (*perf.* **полюби́ть**)
игра́ть в + *acc.* (**игра́ю, игра́ешь, игра́ют; игра́л**) to play

посеща́ть (**посеща́ю, посеща́ешь, посеща́ют; посеща́л**) *imperf.* to attend; to visit (*perf.* **посети́ть**)
де́лать (**де́лаю, де́лаешь, де́лают; де́лал**)
imperf. to do; to make (*perf.* **сде́лать**)

никако́й no, not any

ещё in addition; still
сейча́с now
ра́ньше earlier, before, previously
ча́сто often
нет no

для + *gen.* for
в + *acc.* (*direction*) to; (*time*) in, at
с, со + *gen.* since; from; + *instr.* with

Я хожу́ в тренажёрный зал, занима́юсь фи́тнесом. Ещё мне о́чень нра́вится йо́га.

Окса́на

I go to the gym and do fitness. I also really enjoy yoga.

тренажёрный fitness-
мне *dat.* (to) me

нра́виться + *dat.* (**нра́влюсь, нра́вишься, нра́вятся; нра́вился**) *imperf.* to be liked by (*perf.* **понра́виться**)

Сейча́с никаки́м спо́ртом не занима́юсь. Ра́ньше люби́л игра́ть в баскетбо́л.

Алексей

Now I do not do any sports. I used to like playing basketball.

Я занима́юсь ещё со шко́лы баскетбо́лом. О́чень люблю́ поброса́ть мяч в кольцо́.

Вика

I have been playing basketball since school. I really like to throw the ball through the hoop.

шко́ла (*gen.* **шко́лы**) school
поброса́ть (поброса́л) *perf.* to throw, toss

мяч (*pl.* **мячи́**) ball
кольцо́ (*pl.* **ко́льца**) hoop; ring

Я занима́юсь спо́ртом с семи́ лет: дзюдо́, пла́вание, киксбо́ксинг. Сейча́с занима́юсь фи́тнесом.

Артур

I have been doing sports since I was seven years old: judo, swimming, kickboxing. Now I do fitness.

семь (*gen.* **семи́**) seven
дзюдо́ judo

пла́вание swimming
киксбо́ксинг kickboxing

Я ча́сто хожу́ в танцева́льную сту́дию и акти́вно посеща́ю трениро́вки по йо́ге.

Танзиля

I often go to a dance studio and actively attend yoga training.

танцева́льный (*acc. f.* **танцева́льную**) dance-, dancing
сту́дия (*acc.* **сту́дию**) studio
акти́вно actively

трениро́вка (*pl.* **трениро́вки**) exercise, training
по *+ dat.* by, for, on

Нет, сейча́с я не занима́юсь спо́ртом, ра́зве что де́лаю заря́дку ка́ждое у́тро.

Самат

No, now I do not do any sports, except that I exercise every morning.

ра́зве что unless, except
что that; what
заря́дка (*acc.* **заря́дку**) (morning) exercise

ка́ждый every, each
у́тро morning

Да, я посеща́ю тренажёрный зал уже́ на протяже́нии двух лет.

Надя

Yes, I've been going to the gym for the past two years.

тренажёрный fitness-
уже́ already

на протяже́нии *+ gen.* for, over, during
два (*gen.* **двух**) two

Никаки́м соверше́нно. Па́ру ме́сяцев наза́д бе́гал и де́лал силовы́е упражне́ния, но вот облени́лся.

Дмитрий

Not at all. A couple of months ago, I ran and did some strength exercises, but I got lazy.

соверше́нно completely
па́ра (*acc.* **па́ру**) *+ gen.* pair; a pair/couple of __
ме́сяц (*gen. pl.* **ме́сяцев**) month
acc. + **наза́д** __ ago
бе́гать (**бе́гаю, бе́гаешь, бе́гают; бе́гал**) *imperf.*
  (*multidirectional*) to run (*perf.* **побе́гать**)

силово́й (*pl.* **силовы́е**) power-, strength-
упражне́ние (*gen.* **упражне́ния**) exercise
вот here is/are..., voilà
облени́ться (**облени́лся**) *perf.* to get lazy
  (*imperf.* **обле́ниваться**)

Нет, но я регуля́рно хожу́ в го́ры и веду́ акти́вный о́браз жи́зни.

Светлана

No, but I regularly go to the mountains and lead an active lifestyle.

регуля́рно regularly
гора́ (*pl.* **го́ры**) mountain
вести́ (**веду́, ведёшь, веду́т**) *imperf.* (*unidirectional*)
  to lead, maintain

акти́вный active
о́браз style; image, look
жизнь *f.* (*gen.* **жи́зни**) life

Сейча́с спо́ртом я не занима́юсь, так как у меня́ о́чень ма́ло вре́мени для э́того.

Вадим

Nowadays I'm not doing any sports, since I have very little time for this.

так как since, as
у *+ gen.* **есть** have
ма́ло *+ gen.* little, not much; few, not many

вре́мя *nt.* (*gen.* **вре́мени**) time
э́то (*gen.* **э́того**) this

Ра́ньше я ча́сто игра́ла в большо́й те́ннис, но сейча́с, к сожале́нию, спо́ртом занима́ться не получа́ется.

Аня

I used to play tennis often, but now, unfortunately, it is not possible [for me] to do sports.

(большо́й) те́ннис tennis
к сожале́нию unfortunately

получа́ться (получа́юсь, получа́ешься, получа́ются; получа́лся) *imperf.* to work out, be successful (*perf.* **получи́ться**)

Я занима́юсь волейбо́лом, футбо́лом, сме́шанными единобо́рствами и ещё я трениру́юсь с олимпи́йской шта́нгой.

Влад

I play volleyball, soccer, mixed martial arts, and I also train with the Olympic barbell.

волейбо́л (*instr.* **волейбо́лом**) volleyball
футбо́л (*instr.* **футбо́лом**) soccer
сме́шанный (*instr. pl.* **сме́шанными**) mixed
единобо́рство (*instr. pl.* **единобо́рствами**) combat, duel

трениров́аться (трениру́юсь, трениру́ешься, трениру́ются; трениров́ался) *imperf.* to exercise, train (*perf.* **потрени́роваться**)
олимпи́йский (*instr. f.* **олимпи́йской**) Olympic
шта́нга (*instr.* **шта́нгой**) barbell

Я занима́юсь ко́нным спо́ртом. Э́то о́чень поле́зно для здоро́вья , а ло́шади – прекра́сные живо́тные.

Кристина

I am engaged in equestrian sport. This is very useful for health, and horses are wonderful animals.

ко́нный (*instr.* **ко́нным**) equestrian, horse-
поле́зно useful; healthful
здоро́вье (*gen.* **здоро́вья**) health
ло́шадь *f.* (*pl.* **ло́шади**) horse

прекра́сный (*pl.* **прекра́сные**) wonderful, excellent; beautiful
живо́тное (*pl.* **живо́тные**) animal

Я игра́ю в хокке́й на льду с ша́йбой. Я на́чал им занима́ться в пять лет.

Михаил

I play ice hockey with a puck. I began playing at the age of five.

хокке́й hockey
лёд (*prep.* **льду**) ice
ша́йба (*instr.* **ша́йбой**) puck

нача́ть (**на́чал, начала́, на́чало, на́чали**) *perf.*
  to begin, start (*imperf.* **начина́ть**)
им *instr.* it, him
пять five

12 Что вы е́ли вчера́ на обе́д?
What did you have for lunch yesterday?

есть (ем, ешь, ест, еди́м, еди́те, едя́т; ел)
   imperf. to eat (*perf.* **пое́сть** or **съесть**)
вчера́ yesterday
обе́д lunch; **на обе́д** for lunch
★ *m.* **Что ты ел вчера́ на обе́д?**; *f.* **Что ты е́ла вчера́ на обе́д?**

сала́т (*instr.* **сала́том**) salad
борщ borscht (soup made with beets)
гре́чка buckwheat porridge
котле́та (*instr.* **котле́той**) cutlet
сыр (*instr.* **сы́ром**) cheese
суп (*pl.* **супы́**) soup
о́вощ (*pl.* **о́вощи**; *gen. pl.* **овоще́й**) vegetable

был, была́, бы́ло, бы́ли was/were

мы we

из *+ gen.* of; from
у *+ gen.* at; **у** *+ gen.* (**есть**) have; **у** *+ gen.* **был** had

Вчера́ я ходи́ла в кафе́ с подру́гой. Мы е́ли бурри́то с сала́том и пи́ли вино́.

Окса́на

Yesterday I went to a café with a friend. We ate a burrito with a salad and drank wine.

ходи́ть (хожу́, хо́дишь, хо́дят; ходи́л) *imperf.*
   (*multidirectional*) to go **походи́ть**
кафе́ (*pronounced* [кафэ́]) café
подру́га (*instr.* **подру́гой**) (female) friend

бурри́то (*pl.* **бурри́то**) burrito
пить (пью, пьёшь, пьют; пил) *imperf.* to drink
   (*perf.* **вы́пить** or **попи́ть**)
вино́ wine

Вчера́ на обе́д я ел борщ и гре́чку с котле́той.

Алексей

Yesterday for lunch I ate borscht and buckwheat porridge with a cutlet.

Вчера́ на обе́д я е́ла жа́реный карто́фель с сала́том из помидо́ра и огурца́.

Вика

Yesterday for lunch I ate French fries with a tomato and cucumber salad.

жа́реный fried
карто́фель *m.* potatoes

помидо́р (*gen.* **помидо́ра**) tomato
огуре́ц (*gen.* **огурца́**) cucumber

Вчера́ на обе́д я ел па́сту с тома́тами и сы́ром, запра́вленную бе́лым со́усом с тра́вами.

Артур

Yesterday for lunch I ate pasta with tomatoes and cheese, seasoned with white sauce with herbs.

па́ста (*acc.* **па́сту**) paste
тома́т (*instr. pl.* **тома́тами**) tomato
запра́вленный (*acc. f.* **запра́вленную**) seasoned

бе́лый (*instr.* **бе́лым**) white
со́ус (*instr.* **со́усом**) sauce
трава́ (*pl.* **тра́вы**; *instr. pl.* **тра́вами**) herb; grass

У меня́ был вкусне́йший суп с лапшо́й на обе́д, пригото́вленный ма́мой.

Танзиля

I had a delicious noodle soup for lunch, prepared by my mother.

вкусне́йший (most) delicious
лапша́ (*instr.* **лапшо́й**) noodles

пригото́вленный cooked, prepared
ма́ма (*instr.* **ма́мой**) mom

Рагу́ из овоще́й, я́блочный пиро́г и бутербро́ды с ма́слом и сы́ром.

Самат

Vegetable ragout, apple pie, and sandwiches with butter and cheese.

рагу́ ragout
я́блочный apple-
пиро́г pie

бутербро́д (*pl.* **бутербро́ды**) sandwich
ма́сло butter

Вчера́ на обе́д я е́ла сала́т с помидо́рами, чечеви́чный суп и хлеб.

Надя

Yesterday for lunch I ate a tomato salad, lentil soup, and bread.

помидо́р (*instr. pl.* **помидо́рами**) tomato
чечеви́чный lentil-

хлеб bread

Вчера́ я ел макаро́ны с ке́тчупом, сала́т, два пирожка́ с капу́стой и кусо́к пи́ццы.

Дми́трий

Yesterday I ate pasta with ketchup, a salad, two cabbage piroshkis, and a slice of pizza.

макаро́ны *pl.* pasta
ке́тчуп (*instr.* **ке́тчупом**) ketchup
два (*f.* **две**) two
пирожо́к (*gen.* **пирожка́**) piroshki

капу́ста (*instr.* **капу́стой**) cabbage
кусо́к (*pl.* **куски́**) piece, slice
пи́цца (*gen.* **пи́ццы**) pizza

На обе́д мы е́ли суп и плов. Пе́рвое блю́до – суп. Второ́е блю́до – плов.

Светла́на

For lunch we ate soup and pilaf. The first dish was soup. The second dish was pilaf.

плов pilaf
пе́рвый (*nt.* **пе́рвое**) first

блю́до dish
второ́й (*nt.* **второ́е**) second

Как обы́чно, я употребля́л в пи́щу мя́со. Я не могу́ жить без мя́са.

Вади́м

As usual, I ate meat. I can not live without meat.

обы́чно usually
употребля́ть (**употребля́ю, употребля́ешь, употребля́ют; употребля́л**) **в пи́щу** *imperf.* to eat, consume (*perf.* **употреби́ть**)
пи́ща (*acc.* **пи́щу**) food
мя́со (*gen.* **мя́са;** *prep.* **мя́се**) meat

мочь (**могу́, мо́жешь, мо́гут; мо́г, могла́, могло́, могли́**) *imperf.* to be able to; can (*perf.* **смочь**)
жить (**живу́, живёшь, живу́т; жил, жила́, жи́ло, жи́ли**) *imperf.* to live (*perf.* **пожи́ть** or **прожи́ть**)
без *+ gen.* without

Вчера́ на обе́д я е́ла о́чень вку́сный сала́т Це́зарь и котле́ту с гре́чкой.

Аня

Yesterday for lunch I ate a delicious Caesar salad and a cutlet with buckwheat porridge.

вку́сный delicious

Це́зарь Caesar

Вчера́ на обе́д я съел це́лую ми́ску карто́шки с мя́сом и овоща́ми.

Влад

Yesterday for dinner I ate a whole bowl of potatoes with meat and vegetables.

съесть (съел) *perf.* to eat (*imperf.* **есть**)
це́лый (*acc. f.* **це́лую**) whole, entire
ми́ска (*acc.* **ми́ску**) bowl

карто́шка (*gen.* **карто́шки**) potato
мя́со (*instr.* **мя́сом**) meat

Вчера́ на обе́д я е́ла ку́рицу с овоща́ми. Я стара́юсь есть поле́зную еду́.

Кристина

Yesterday for lunch I ate chicken with vegetables. I try to eat healthy food.

ку́рица (*acc.* **ку́рицу**) chicken
стара́ться (**стара́юсь, стара́ешься, стара́ются;**
стара́лся) *imperf.* to try (*perf.* **постара́ться**)

поле́зный (*acc. f.* **поле́зную**) healthful; useful
еда́ (*acc.* **еду́**) food

Вчера́ на обе́д у меня́ был борщ, а пото́м я ел ри́совую ка́шу с котле́той.

Михаил

Yesterday I had a borsch for lunch, and then I ate rice porridge with a cutlet.

пото́м then
ри́совый (*acc. f.* **ри́совую**) rice-

ка́ша (*acc.* **ка́шу**) porridge

13

Когда́ вы
обы́чно встаёте?
When do you usually get up?

когда́ when
обы́чно usually
встава́ть (встаю́, встаёшь, встаю́т) *imperf.* to get up (*perf.* **встать**)
★ **Когда́ ты обы́чно встаёшь?**

рабо́та job, work
часо́в *gen. pl.* o'clock
день *m.* (*pl.* **дни**; *gen.* **дня**) day
бу́дни *pl.* (*dat.* **бу́дням**) weekdays; working days
выходны́е *pl.* (*dat.* **выходны́м**) weekend; days off
обе́д dinner
гра́фик schedule

де́сять ten
де́вять nine
семь seven
во́семь (*gen.* **восьми́**) eight

зави́сит (**от** + *gen.*) it depends (on)

стара́ться (стара́юсь, стара́ешься, стара́ются; стара́лся) *imperf.* to try (*perf.* **постара́ться**)
встать (встал) *perf.* to get up (*imperf.* **встава́ть**)
сде́лать (сде́лал) *perf.* to do; to make (*imperf.* **де́лать**)

ра́ньше (+ *gen.* than) earlier; before, previously
утра́ *gen.* a.m.; of the morning
поэ́тому so, therefore
по́здно late
ра́но early
у́тром in the morning
иногда́ sometimes

до + *gen.* before; to, until
по + *dat.* by; on, in
о́коло + *gen.* about, around, approximately
у + *gen.* at; **у меня́** I have

что́бы + *inf.* in order to; so that

Э́то зави́сит от моего́ расписа́ния. Я стара́юсь встава́ть ра́ньше, но э́то не всегда́ получа́ется.

Окса́на

It depends on my schedule. I try to get up early, but it does not always work.

мой (*gen.* **моего́**) my
расписа́ние (*gen.* **расписа́ния**) schedule, timetable
всегда́ always

получа́ться (получа́юсь, получа́ешься, получа́ются; получа́лся) *imperf.* to work out, be successful (*perf.* **получи́ться**)

Я встаю́ обы́чно в 8 (во́семь) утра́, что́бы успе́ть собра́ться и дое́хать до рабо́ты.

Алексей

I usually get up at 8 in the morning in order to have enough time to get ready and get to work.

успе́ть (успе́л) *perf.* to have time; to be in time for; to catch (*imperf.* успева́ть)
собра́ться (собра́лся) *perf.* to get ready; to gather together (*imperf.* собира́ться)

дое́хать до + *gen.* (дое́ду, дое́дешь, дое́дут; дое́хал) *perf. (unidirectional)* to reach, get to, arrive at (*imperf.* доезжа́ть)

До рожде́ния ребёнка я встава́ла в 10 (де́сять) утра́, но сейча́с встаю́ в 7 (семь).

Вика

Before the birth of my child, I got up at ten in the morning, but now I get up at seven.

рожде́ние (*gen.* рожде́ния) birth
ребёнок (*gen.* ребёнка; *pl.* де́ти; *gen. pl.* дете́й) child

сейча́с now

По бу́дням я встаю́ о́коло 8-8:30 (восьми́ - восьми́ тридцати́) утра́, в выходны́е – в 10 (де́сять) утра́.

Артур

On weekdays, I get up around 8-8:30 a.m., but on weekends at 10 a.m.

три́дцать (*gen.* тридцати́) thirty

Я по нату́ре сова́, поэ́тому я встаю́ не ра́ньше 12 (двена́дцати) часо́в дня.

Танзиля

I am by nature a night owl, so I do not get up before noon.

нату́ра nature, spirit
сова́ (*pl.* **со́вы**) owl

двена́дцать (*gen.* **двена́дцати**) twelve

Ка́ждый день я стара́юсь просы́паться в 9 (де́вять) утра́. Э́то позволя́ет мне сде́лать мно́го веще́й до обе́да.

Самат

Every day I try to wake up at 9 a.m., which allows me to do many things before lunch.

ка́ждый every, each
просыпа́ться (**просыпа́юсь, просыпа́ешься,**
  просыпа́ются; просыпа́лся) *imperf.* to wake up
  (*perf.* **просну́ться**)
позволя́ть (**позволя́ю, позволя́ешь,**

мне *dat./prep.* me
мно́го *+ gen. pl.* a lot of, many
вещь *f.* thing

Обы́чно в 10 (де́сять) утра́, но по выходны́м я встаю́ где́-то бли́же к обе́ду.

Надя

Usually at 10 a.m., but on the weekends I get up somewhere around lunchtime.

где-то somewhere

бли́же closer
к *+ dat.* to; toward

9-10 (де́вять - де́сять) утра́. Зави́сит, коне́чно же, от того́, когда́ я ля́гу. Но ложу́сь я обы́чно по́здно.

Дмитрий

9-10 a.m. It depends, of course, on when I go to bed. But I usually go to bed late.

коне́чно of course
же (*emphatic particle, often untranslated*)
того́ *gen.* that

лечь (**ля́гу, ля́жешь, ля́гут; лёг, легла́, легло́, легли́**) *perf.* to lie (*imperf.* **ложи́ться**)
ложи́ться (**ложу́сь, ложи́шься, ложа́тся; ложи́лся**) *imperf.* to lie down (*perf.* **лечь**)

Я встаю́ ра́но у́тром. Я встаю́ в семь часо́в утра́.

Светлана

I get up early in the morning. I get up at seven in the morning.

В бу́дние дни я ра́но встаю́ – в семь и́ли во́семь часо́в утра́.

Вадим

On weekdays I get up early–at seven or eight o'clock in the morning.

бу́дний (*pl.* **бу́дние**) weekday-

У меня́ дово́льно нестанда́ртный гра́фик, поэ́тому иногда́ могу́ просну́ться в 7 (семь) утра́, а иногда́ – в 12 (двена́дцать) дня.

Аня

I have a rather unusual schedule, so I can sometimes wake up at 7 a.m., and sometimes at noon.

дово́льно rather, fairly, pretty
нестанда́ртный nonstandard
мочь (могу́, мо́жешь, мо́гут; мо́г, могла́, могло́, могли́) *imperf.* to be able to; can (*perf.* **смочь**)

просну́ться (просну́лся) *perf.* to wake up (*imperf.* **просыпа́ться**)
двена́дцать twelve

Обы́чно я пыта́юсь встава́ть в 6 (шесть) утра́ что́бы сде́лать бо́льше рабо́ты у́тром.

Влад

Usually, I try to get up at 6 a.m. to do more work in the morning.

пыта́ться (пыта́юсь, пыта́ешься, пыта́ются; пыта́лся) *imperf.* to try (*perf.* **попыта́ться**)

шесть six
бо́льше more

Обы́чно я встаю́ доста́точно по́здно, в 10-11 (де́сять-оди́ннадцать) часо́в утра́. У меня́ свобо́дный гра́фик, чему́ я ра́да.

Кристина

I usually get up rather late, at 10 or 11 o'clock in the morning. I have a free schedule, which I am glad about.

доста́точно rather, quite; enough
оди́ннадцать eleven
свобо́дный free

чему́ *dat.* what
рад, ра́да, ра́до, ра́ды glad

Как пра́вило, в бу́дни я встаю́ о́коло восьми́ часо́в утра́.

Михаил

As a rule, on weekdays I get up around eight in the morning.

пра́вило rule

14

Что вы лю́бите
из еды́?
What is your favorite food?

люби́ть (люблю́, лю́бишь, лю́бят; люби́л)
 imperf. to love; to like (*perf.* **полюби́ть**)
из + *gen.* from
еда́ (*gen.* **еды́**; *instr.* **едо́й**; *acc.* **еду́**; *dat.* **еде́**) food
★ **Что ты лю́бишь из еды́?**

сыр cheese
окро́шка (*acc.* **окро́шку**) okroshka (cold soup
 with vegetables and meat)
блю́до (*pl.* **блю́да**) dish
мя́со (*gen.* **мя́са**) meat
о́вощ (*pl.* **о́вощи**; *gen.* **овоще́й**) vegetable
фрукт (*pl.* **фру́кты**) fruit
шокола́д (*gen.* **шокола́да**) chocolate

све́жий (*gen. pl.* **све́жих**) fresh

обожа́ть (обожа́ю, обожа́ешь, обожа́ют;
 обожа́л) *imperf.* to adore
есть (ем, ешь, ест, еди́м, еди́те, едя́т; ел)
 imperf. to eat (*perf.* **пое́сть** or **съесть**)
нра́виться + *dat.* (нра́влюсь, нра́вишься,
 нра́вятся; нра́вился) *imperf.* to be liked by
 (*perf.* **понра́виться**)

с + *instr.* with

Я про́сто обожа́ю сыр. Сыр мо́жно есть всегда́ и
с любо́й друго́й едо́й.

Окса́на

I just love cheese. Cheese can be eaten anytime and with any other food.

про́сто just, merely
мо́жно + *inf.* it is possible to...; can
всегда́ always

любо́й (*instr. f.* **любо́й**) any
друго́й (*instr. f.* **друго́й**) other

Я люблю́ ра́зную еду́. Бо́льше всего́ люблю́ ру́сские супы́: борщ, щи, окро́шку.

Алексей

I like different foods. Most of all, I like Russian soups: borshch, cabbage soup, okroshka.

ра́зный (*acc. f.* **ра́зную**) different, various
бо́льше всего́ most of all
всё (*gen.* **всего́**) *n.* all; everything
ру́сский (*pl.* **ру́сские**) Russian

суп (*pl.* **супы́**) soup
борщ borscht (soup made with beets)
щи *pl.* cabbage soup

Я о́чень люблю́ сла́дкое: конфе́ты, то́рты, пече́нье, десе́рты. А ещё мне нра́вится моро́женое.

Вика

I love sweets: candy, cakes, cookies, desserts. And I also like ice cream.

сла́дкое sweets, sweet things; **сла́дкий** sweet
конфе́та (*pl.* **конфе́ты**) candy
торт (*pl.* **то́рты**) cakes
пече́нье biscuit

десе́рт dessert
а ещё also, additionally
моро́женое ice cream

Из еды́ я могу́ вы́делить разнообра́зные блю́да из карто́феля: карто́фель айда́хо, фри и дра́ники.

Артур

From among food, I might choose a variety of potato dishes: wedge-cut fries, French fries, and potato pancakes.

мочь (**могу́, мо́жешь, мо́гут; мог, могла́, могло́, могли́**) *imperf.* to be able to; can (*perf.* **смочь**)
вы́делить (**вы́делил**) *perf.* to single out, pick (*imperf.* **выделя́ть**)

разнообра́зный (*pl.* **разнообра́зные**) various, diverse
карто́фель potatoes
Айда́хо Idaho
фри (French) fries
дра́ник potato pancake

Мне о́чень нра́вятся блю́да, состоя́щие из карто́шки, мя́са и овоще́й. Сла́дости я не люблю́.

Танзиля

I really like the food consisting of potatoes, meat and vegetables. I do not like sweets.

состоя́щий (*pl.* **состоя́щие**) **из** *+ gen.* consisting of
карто́шка (*gen.* **карто́шки**) potato

сла́дости *pl.* sweets

Блю́да из овоще́й, о́струю и нежа́реную пи́щу, а та́кже фру́кты.

Самат

Vegetable dishes, spicy food that isn't fried, and fruit.

о́стрый (*acc. f.* **о́струю**) spicy
нежа́реный (*acc. f.* **нежа́реную**) unfried

пи́ща (*acc.* **пи́щу**) food
(а) та́кже and also; additionally

Я обожа́ю ку́шать блю́да из све́жих овоще́й, потому́ что э́то вку́сно и поле́зно.

Надя

I love to eat dishes with fresh vegetables because they are tasty and healthful.

ку́шать (**ку́шаю, ку́шаешь, ку́шают; ку́шал**)
   imperf. to eat (*perf.* **поку́шать** or **ску́шать**)
потому́ что because

вку́сно delicious
поле́зно healthful; useful

Грибни́цу (национа́льный ура́льский крем-суп из грибо́в), блю́да из капу́сты, окро́шку.

Дмитрий

Gribnitsa (national Ural cream soup with mushrooms), dishes with cabbage, okroshka.

грибни́ца (*acc.* **грибни́цу**) gribnitsa
национа́льный national
ура́льский Ural-
крем-суп cream soup

гриб (*pl.* **грибы́**; *gen. pl.* **грибо́в**) mushroom
капу́ста (*acc.* **капу́сту**) cabbage

Я люблю́ есть ра́зные сала́ты из овоще́й. Предпочте́ние отдаю́ вегетариа́нской еде́.

Светлана

I like to eat different vegetable salads. I prefer vegetarian food. (*lit.* I give the preference to vegetarian food.)

ра́зный (*pl.* **ра́зные**) different
сала́т (*pl.* **сала́ты**) salads
предпочте́ние (*acc.* **предпочте́ние**) preference

отдава́ть (**отдаю́, отдаёшь, отдаю́т;
отдава́л**) *imperf.* to give (*perf.* **отда́ть**)
вегетариа́нский (*dat. f.* **вегетариа́нской**)
vegetarian

Мои́ люби́мые блю́да соде́ржат мя́со, о́вощи. Люблю́ я и ры́бу.

Вадим

My favorite dishes contain meat and vegetables. I also like fish.

мои́ *pl.* my
люби́мый (*pl.* **люби́мые**) favorite

содержа́ть (**содержу́, соде́ржишь,
соде́ржат; содержа́л**) *imperf.* to contain
ры́ба (*acc.* **ры́бу**) fish

Я о́чень люблю́ пое́сть и не осо́бо приди́рчива. Осо́бенно люблю́ италья́нскую и коре́йскую ку́хни.

Аня

I love eating and am not particularly picky. I especially like Italian and Korean cuisine.

пое́сть (пое́л) *perf.* to eat (*imperf.* **есть**)
не осо́бо not particularly
приди́рчив (*f.* **приди́рчива**) picky, overparticular
осо́бенно especially, particularly

италья́нский (*acc. f.* **италья́нскую**) Italian
коре́йский (*acc. f.* **коре́йскую**) Korean
ку́хня (*pl.* **ку́хни**) kitchen

Я о́чень большо́й сладкое́жка и обожа́ю шокола́д, но тепе́рь я стара́юсь есть ме́ньше шокола́да.

Влад

I have a very big sweet tooth and love chocolate, but now I try to eat less chocolate.

большо́й big, large
сладкое́жка *m.* person with a sweet tooth
тепе́рь now

стара́ться (стара́юсь, стара́ешься, стара́ются; стара́лся) *imperf.* to try (*perf.* **постара́ться**)
ме́ньше less

Я о́чень люблю́ све́жие фру́кты и о́вощи, сыр, оре́хи и шокола́д.

Кристина

I love fresh fruit and vegetables, cheese, nuts, and chocolate.

оре́х (*pl.* **оре́хи**) nut

Я не гурма́н, но о́чень люблю́ макаро́ны с сы́ром и карто́фельное пюре́.

Михаил

I am not a foodie, but I am very fond of macaroni & cheese and mashed potatoes.

гурма́н foodie, gourmand
макаро́ны *pl.* pasta
сыр (*instr.* **сы́ром**) cheese

карто́фельный (*pl.* **карто́фельное**) potato-
пюре́ *nt.* puree

15

Како́й у вас люби́мый актёр и́ли актри́са?
Who is your favorite actor or actress?

како́й which, what
у + *gen.* at; **у** + *gen.* (**есть**) have
вас *gen.* (*formal* or *plural*) you
люби́мый (*gen.* **люби́мого**; *gen. f.* **люби́мой**; *gen. pl.* **люби́мых**) favorite
актёр (*gen.* **актёра**; *gen. pl.* **актёров**) actor
актри́са (*gen.* **актри́сы**) actress
★ **Како́й у тебя́ люби́мый актёр и́ли актри́са?**
тебя́ *gen.* (*informal singular*) you

фильм (*instr.* **фи́льмом**; *prep. pl.* **фи́льмах**) movie, film
уча́стие (*instr.* **уча́стием**) participation, collaboration

смотре́ть (**смотрю́, смо́тришь, смо́трят; смотре́л**) *imperf.* to look (at), watch (*perf.* **посмотре́ть**)
люби́ть (**люблю́, лю́бишь, лю́бят; люби́л**) *imperf.* to love; to like (*perf.* **полюби́ть**)

нра́виться + *dat.* (**нра́влюсь, нра́вишься, нра́вятся; нра́вился**) *imperf.* to be liked by (*perf.* **понра́виться**)

мно́гие *pl.* (*prep. pl.* **мно́гих**) many
са́мый the most __

сейча́с now

его́ his; *acc.* him

Из росси́йских актёров – Дани́ла Козло́вский. Сейча́с он на пи́ке популя́рности в Росси́и.

Окса́на

From among Russian actors, Danila Kozlovsky. Now he is at the peak of popularity in Russia.

из + *gen.* from
росси́йский (*gen. pl.* **росси́йских**) Russian
пи́к (*prep.* **пи́ке**) peak, pinnacle

популя́рность (*gen.* **популя́рности**) popularity
Росси́я (*prep.* **Росси́и**) Russia

У меня́ нет люби́мого актёра и́ли актри́сы. Я не ча́сто смотрю́ кино́.

Алексей

I do not have a favorite actor or actress. I do not watch movies often.

ча́сто often

кино́ (*pl.* **кино́**) cinema

Я люблю́ смотре́ть фи́льмы с уча́стием А́дама Се́ндлера и Шарли́з Теро́н.

Вика

I love watching movies with Adam Sandler and Charlize Theron.

У меня́ нет люби́мых актёра и актри́сы, но е́сли вы́делить кого́-то определённого – Са́ймон Пегг.

Артур

I do not have a favorite actor and actress, but if [I have to] single out someone in particular, Simon Pegg.

е́сли if
вы́делить (вы́делил) *perf.* to single out, pick
  (*imperf.* **выделя́ть**)

кто-то (*acc.* **кого́-то**) someone
определённый (*anim. acc.* **определённого**)
  certain

Мне нра́вятся мно́гие при́знанные актёры, но бо́льше всего́ Майкл Фассбе́ндер.

Танзиля

I like many acclaimed actors, but most of all Michael Fassbender.

при́знанный (*pl.* **при́знанные**) acclaimed, recognized

бо́льше всего́ most of all

В де́тстве я был фана́том Джéки Чáна. Сейчáс же я люблю́ фи́льмы с Тóмом Хэ́нксом.

Самат

As a child, I was a fan of Jackie Chan. Now I like movies with Tom Hanks.

де́тство (*prep.* **де́тстве**) childhood
был, была́, бы́ло, бы́ли + *instr.* was/were
фана́т (*instr.* **фана́том**) fan

же (*emphatic particle, often untranslated*)
Том Хэ́нкс (*instr.* **Тóмом Хэ́нксом**) Tom Hanks

Мой люби́мый актёр – э́то Джóни Депп. Меня́ восхища́ют егó óбразы.

Надя

My favorite actor is Johnny Depp. I'm fascinated by his characters.

восхища́ть (**восхища́ю, восхища́ешь, восхища́ют**) *imperf.* to delight

óбраз (*pl.* **óбразы**) image, look, style

Мой люби́мый актёр и режиссёр – Алекса́ндр Гаври́лович Абду́лов. Люби́мой актри́сы нет.

Дмитрий

My favorite actor and director is Alexander Gavrilovich Abdulov. No favorite actress.

режиссёр (film) director

Киа́ну Ривз. О́чень хоро́ший актёр. Мне нра́вятся фи́льмы с его́ уча́стием.

Светлана

Keanu Reeves. A very good actor. I like his films.

хоро́ший good

Мэтт Де́ймон, Леона́рдо ди Ка́прио и Бред Питт – мои́ са́мые люби́мые актёры.

Вадим

Matt Damon, Leonardo DiCaprio, and Brad Pitt are my favorite actors.

Мой люби́мый актёр – Леона́рдо Ди Ка́прио. Я счита́ю, что он са́мый тала́нтливый актёр на́шего вре́мени.

Аня

My favorite actor is Leonardo DiCaprio. I believe that he is the most talented actor of our time.

счита́ть (счита́ю, счита́ешь, счита́ют; счита́л) *imperf.* to think, feel (*perf.* **посчита́ть**)
что that...; what

тала́нтливый talented
наш (*gen.* **на́шего**) our
вре́мя *nt.* (*gen.* **вре́мени**) time

У меня́ нет люби́мого актёра. Я предпочита́ю про́сто наслажда́ться фи́льмом.

Влад

I do not have a favorite actor. I prefer to just enjoy a movie.

предпочита́ть (предпочита́ю, предпочита́ешь, предпочита́ют; предпочита́л) *imperf.* to prefer (*perf.* **предпоче́сть**)
про́сто just, merely

наслажда́ться + *instr.* (**наслажда́юсь, наслажда́ешься, наслажда́ются; наслажда́лся**) *imperf.* to enjoy (*perf.* **наслади́ться**)

Мне нра́вится Леона́рдо ди Ка́прио. Он прекра́сный актёр, кото́рый сыгра́л во мно́гих фи́льмах.

Кристина

I like Leonardo di Caprio. He is a wonderful actor who has been in many films.

прекра́сный wonderful, excellent
кото́рый which
во (= **в**) + *prep.* at, in

сыгра́ть (сыгра́л) *perf.* to perform, act, play (*imperf.* **игра́ть**)

Мой любимый актёр – Сильвестр Сталлоне. Я очень люблю периодически пересматривать фильмы с его участием.

Михаил

My favorite actor is Sylvester Stallone. I really like to rewatch his films now and again.

периоди́чески periodically, once in a while

пересма́тривать (пересма́триваю, пересма́триваешь, пересма́тривают; пересма́тривал) *imperf.* to see again, rewatch; review (*perf.* **пересмотре́ть**)

16

Во что вы сегодня одеты?
What are you wearing today?

во (= **в**) + *prep.* at, in
сего́дня today
оде́т(**в** + *acc.* (*pl.* **оде́ты**) dressed in, wearing
★ *m.* **Во что ты сего́дня оде́т?**; *f.* **Во что ты сего́дня оде́та?**

оде́жда clothes
футбо́лка (*acc.* **футбо́лку**; *prep.* **футбо́лке**) T-shirt
джи́нсы *pl.* (*prep. pl.* **джи́нсах**) jeans
кроссо́вки *pl.* sneakers
руба́шка shirt
ма́йка T-shirt
шо́рты *pl.* (*prep. pl.* **шо́ртах**) shorts
штаны́ *pl.* pants

чёрный (*pl.* **чёрные**; *acc. f.* **чёрную**) black

доста́точно rather, quite; enough

поэ́тому so, therefore

Сего́дня я до́ма, поэ́тому я в дома́шней оде́жде – в шо́ртах и футбо́лке.

Окса́на

Today I'm at home, so I'm in my house clothes: shorts and T-shirt.

до́ма at home

дома́шний home-, domestic

Сего́дня пя́тница, поэ́тому на рабо́ту я пришёл в джи́нсах и футбо́лке.

Алексей

Today is Friday, so I came to work in jeans and a T-shirt.

пя́тница Friday
рабо́та (*acc.* **рабо́ту**) job, work

прийти́ (пришёл, пришла́, пришло́, пришли́)
perf. (unidirectional) to come (*imperf.* **приходи́ть**)

Сего́дня на мне бе́лая футбо́лка, си́ние джи́нсы и се́рые кроссо́вки.

Вика

Today I have a white T-shirt, blue jeans, and gray sneakers on.

бе́лый (*f.* **бе́лая**) white
си́ний (*pl.* **си́ние**) blue

се́рый (*pl.* **се́рые**) gray

Сего́дня на мне руба́шка ви́нного цве́та и джи́нсы. Я обу́т в кори́чневые ко́жаные ту́фли.

Артур

Today, I have a wine-colored shirt and jeans on. I'm wearing brown leather shoes.

ви́нный wine-
цвет (*pl.* **цвета́**; *gen.* **цве́та**) color
обу́т в + *acc.* wearing (footwear)

кори́чневый (*pl.* **кори́чневые**) brown
ко́жаный (*pl.* **ко́жаные**) leather-
ту́фля (*pl.* **ту́фли**) shoe

В связи́ с жа́ркой пого́дой я оде́та легко́, то́лько ма́йка и шо́рты.

Танзиля

Due to the hot weather, I'm dressed lightly–just a T-shirt and shorts.

в связи́ с + *instr.* due to, owing to
жа́ркий (*instr. f.* **жа́ркой**) hot
пого́да (*instr.* **пого́дой**) weather

легко́ easily
то́лько only, just, merely

Ýтром я носи́л футбо́лку и штаны́, днём я носи́л руба́шку и джи́нсы.

Самат

In the morning, I was wearing a T-shirt and pants, and in the afternoon, I was wearing a shirt and jeans.

ýтром in the morning
носи́ть (**ношу́, но́сишь, но́сят; носи́л**) *imperf.* to wear

днём *instr.* in the afternoon

Я оде́ла* чёрную футбо́лку и джи́нсовые шо́рты, а ещё на мне су́мка от *Zara*.

Надя

I put on a black T-shirt and denim shorts, and I also have a bag from Zara on.

оде́ть (**оде́л**) *perf.* to put on (*A common mistake; grammatically correct here: **наде́ла**)
джи́нсовый (*pl.* **джи́нсовые**) jean-, denim

а ещё also, additionally
на мне __ I have __ on
су́мка bag

Я одéт в чёрную футбóлку *Hate Forest*, чёрные джи́нсы и чёрные носки́.

Дмитрий

I'm wearing a black Hate Forest T-shirt, black jeans, and black socks.

носо́к (*pl.* носки́) sock

Я одева́ю* ра́зную оде́жду в тече́ние дня. Сейча́с я оде́та в шо́рты и футбо́лку.

Светлана

I wear different clothes during the day. Now I'm dressed in shorts and T-shirt.

одева́ть (одева́ю, одева́ешь, одева́ют; одева́л) *imperf.* to wear (*perf.* оде́ть) (*More correct would be: надева́ю)
ра́зный (*acc. f.* ра́зную) different, various

в тече́ние + *gen.* during, over the course of
день *m.* (*gen.* дня) day
сейча́с now

Сего́дня моя́ оде́жда доста́точно проста́: джи́нсы и дже́мпер. Позволя́ют чу́вствовать себя́ удо́бно.

Вадим

Today, my clothes are simple enough: jeans and a sweater. They make me feel comfortable.

моя́ *f.* my
прост, проста́, про́сто, просты́ (просто́й) simple
дже́мпер sweater, jumper
позволя́ть (позволя́ю, позволя́ешь, позволя́ют; позволя́л *imperf.* to allow, permit (*perf.* позво́лить)

чу́вствовать себя́ (чу́вствую, чу́вствуешь, чу́вствуют; чу́вствовал) *imperf.* to feel (*perf.* почу́вствовать)
себя́ *acc.* oneself; myself
удо́бно comfortable; convenient

Сего́дня я оде́та в доста́точно спорти́вном сти́ле: джи́нсы, толсто́вка и кроссо́вки.

Аня

Today I'm wearing quite a sporty style: jeans, a hoodie, and sneakers.

спорти́вный (*prep.* **спорти́вном**) athletic, sporty
стиль *m.* (*prep.* **сти́ле**) style

толсто́вка hoodie, sweatshirt with a hood

Сего́дня я оде́т в удо́бную спорти́вную фо́рму, в ней мне намно́го прия́тней рабо́тать.

Влад

Today I am wearing a comfortable tracksuit, which is much more comfortable for me to work in.

удо́бный (*acc. f.* **удо́бную**) comfortable
спорти́вный (*acc. f.* **спорти́вную**) athletic, sporty
фо́рма (*acc.* **фо́рму**) tracksuit; uniform
в ней *f.* in it

намно́го + *comparative* much
прия́тней = **прия́тнее** more pleasant
рабо́тать (**рабо́таю, рабо́таешь, рабо́тают; рабо́тал**) *imperf.* to work (*perf.* **порабо́тать**)

Сего́дня я оде́та в чёрное пла́тье. Я всегда́ стара́юсь одева́ться же́нственно и ча́сто ношу́ пла́тья.

Кристина

Today I'm wearing a black dress. I always try to dress feminine and often wear dresses.

пла́тье (*pl.* **пла́тья**) dress
всегда́ always
стара́ться (**стара́юсь, стара́ешься, стара́ются; стара́лся**) *imperf.* to try (*perf.* **постара́ться**)
одева́ться (**одева́юсь, одева́ешься, одева́ются; одева́лся**) *imperf.* to dress, get dressed (*perf.* **оде́ться**)

же́нственно feminine, womanly
ча́сто often
носи́ть (**ношу́, но́сишь, но́сят; носи́л**) *imperf.* to wear

На мне одеты спортивные штаны и майка с коротким рукавом.

Михаил

I'm wearing sweat pants and a T-shirt with short sleeves.

спорти́вную (*pl.* **спорти́вные**) athletic, sporty   **рука́в** (*instr.* **рукаво́м**) sleeve
коро́ткий (*instr.* **коро́тким**) short

17

Как ча́сто вы боле́ете?
How often do you get sick?

как ча́сто how often
боле́ть (боле́ю, боле́ешь, боле́ют; боле́л)
  imperf. to be ill, be unwell (*perf.* **заболе́ть**)
★ **Как ча́сто ты боле́ешь?**

раз (*gen.* **ра́за**) time; **два ра́за** twice
год (*gen.* **го́да**) year; **в год** per year

два (*f.* **две**) two
оди́н one; alone

мочь (могу́, мо́жешь, мо́гут; мо́г, могла́, могло́, могли́) *imperf.* to be able to; can (*perf.* **смочь**)

ка́ждый (*acc. f.* **ка́ждую**) every, each

ре́дко rarely
приме́рно about, around, approximately
к сча́стью fortunately
до́ма at home
мо́жет быть maybe
всего́ *gen. nt.* just, only; in total, all told

себя́ *acc.* oneself; myself

у *+ gen.* at; **у** *+ gen.* **есть** have
от *+ gen.* from

Я живу́ в Сиби́ри, поэ́тому ка́ждую зи́му я то́чно боле́ю, к сожале́нию.

Окса́на

I live in Siberia, so every winter I definitely get sick, unfortunately.

жить (живу́, живёшь, живу́т; жил, жила́, жи́ло, жи́ли) *imperf.* to live (*perf.* **пожи́ть** or **прожи́ть**)
Сиби́рь *f.* (*prep.* **Сиби́ри**) Siberia
поэ́тому so, therefore

зима́ (*pl.* **зи́мы;** *acc.* **зи́му**) winter
то́чно definitely, certainly
к сожале́нию unfortunately

Я боле́ю неча́сто. Иногда́ быва́ет ра́зве что прост́у́да зимо́й.

Алексе́й

I do not get sick often. Sometimes I might get a cold in the winter.

иногда́ sometimes
быва́ть (быва́ю, быва́ешь, быва́ют) *imperf.* to happen; to be (*perf.* **побыва́ть**)
ра́зве что maybe; unless, except

просту́да common cold
зимо́й *instr.* in the winter

Я боле́ю о́чень ре́дко. Как пра́вило, могу́ простуди́ться и́ли подхвати́ть ангѝну.

Вика

I very rarely get sick. In general, I might catch a cold or get a sore throat.

как as, like; how
пра́вило rule
простуди́ться (простуди́лся) *perf.* to catch a cold (*imperf.* **простужа́ться**)

подхвати́ть (подхвати́л) to pick up, catch (a cold, etc.)
ангѝна (*acc.* **ангѝну**) sore throat

Я не о́чень ча́сто боле́ю, мо́жет быть два ра́за в год, и то лёгкой просту́дой.

Арту́р

I do not get sick very often, maybe twice a year, and just the common cold.

то *nt.* that
лёгкий (*instr. f.* **лёгкой**) light; easy

просту́да (*instr.* **просту́дой**) common cold

Боле́ю я дово́льно ре́дко, приме́рно два-три ра́за в год.

Танзиля

I get sick quite rarely, about two or three times a year.

дово́льно rather, fairly, pretty

три three

Нечáсто. Я старáюсь не подвергáть себя́ ри́ску заболе́ть и подде́рживаю чистоту́ до́ма.

Самат

Infrequently. I try not to expose myself to the risk of getting sick and keep the house clean.

нечáсто infrequently
старáться (старáюсь, старáешься, старáются; старáлся) imperf. to try (perf. **постарáться**)
подвергáть (подвергáю, подвергáешь, подвергáют; подвергáл) imperf. to expose (perf. **подве́ргнуть**)
риск (dat. **ри́ску**) risk

заболе́ть (заболе́л) perf. to fall ill, get sick; to begin to hurt (imperf. **заболевáть**)
подде́рживать (подде́рживаю, подде́рживаешь, подде́рживают; подде́рживал) imperf. to maintain, keep up (perf. **поддержáть**)
чистотá (acc. **чистоту́**) cleanliness

Я о́чень ре́дко боле́ю, мáксимум два рáза в год. У меня́ хоро́ший иммуните́т.

Надя

I very rarely get sick, at most twice a year. I have a good immune system.

мáксимум maximum
хоро́ший good

иммуните́т immunity

Я ча́сто страда́ю от головны́х бо́лей, так как у меня́ ве́гето-сосу́дистая дистони́я. Ка́ждую неде́лю.

Дмитрий

I often suffer from headaches, since I have vascular dystonia. Every week.

страда́ть (страда́ю, страда́ешь, страда́ют; страда́л) *imperf.* to suffer (*perf.* пострада́ть)
головно́й (*gen. pl.* головны́х) head-
боль *f.* (*gen. pl.* бо́лей) pain

так как as, since, because
ве́гето-сосу́дистый vegetovascular
дистони́я dystonia
неде́ля (*acc.* неде́лю) week

Я боле́ю о́чень ре́дко. Веди́те здоро́вый о́браз жи́зни. Э́то вас убережёт от мно́гих боле́зней.

Светлана

I'm very rarely sick. Maintain a healthy lifestyle! This will protect you from many diseases.

вести́ (веду́, ведёшь, веду́т) *imperf. (unidirectional)* to lead, maintain
здоро́вый healthy
о́браз style; image, look
жизнь *f.* (*gen.* жи́зни) life
вас *acc.* you

убере́чь (уберегу́, убережёшь, уберегу́т; уберёг, уберегла́, убрегло́, уберегли́) *perf.* will save (*imperf.* уберега́ть)
мно́гие *pl.* (*gen. pl.* мно́гих) many
боле́знь *f.* (*gen. pl.* боле́зней) disease, illness

Моё здоро́вье доста́точно кре́пкое и я боле́ю всего́ оди́н и́ли два ра́за в год.

Вадим

My health is quite strong, and I am ill only once or twice a year.

мой (*nt.* моё) my
здоро́вье health

доста́точно rather, quite; enough
кре́пкий (*nt.* кре́пкое) strong; firm

К сча́стью, я не о́чень ча́сто боле́ю. В год обы́чно боле́ю всего́ приме́рно два ра́за.

Аня

Fortunately, I do not often get sick. In a year, I usually get sick about two times.

обы́чно usually

Я хорошо́ себя́ чу́вствую. Уже́ не по́мню, когда́ я после́дний раз боле́л.

Влад

I feel good. I can't remember the last time I was sick.

хорошо́ well; okay, good
чу́вствовать себя́ (чу́вствую, чу́вствуешь, чу́вствуют; чу́вствовал) *imperf.* to feel (*perf.* почу́вствовать)
уже́ already

по́мнить (по́мню, по́мнишь, по́мнят; по́мнил) *imperf.* to remember (*perf.* запо́мнить)
когда́ when
после́дний last

К сча́стью, я боле́ю о́чень ре́дко. Мо́жет быть оди́н и́ли два ра́за в год .

Кристина

Fortunately, I rarely get sick. Maybe once or twice a year.

В тече́ние го́да я боле́ю ре́дко. Буква́льно оди́н и́ли два ра́за в год.

Михаил

Throughout the year, I rarely get sick–literally once or twice a year.

в тече́ние *+ gen.* during, over the course of   **буква́льно** literally

Что вы дéлали сегóдня ýтром?
What did you do this morning?

дéлать (**дéлаю, дéлаешь, дéлают; дéлал**) *imperf.* to do (*perf.* **сдéлать**)

сегóдня today

ýтром *instr.* in the morning

★ *m.* **Что ты дéлал сегóдня ýтром?**; *f.* **Что ты дéлала сегóдня ýтром?**

рабóта (*gen.* **рабóты**) job, work

зáвтрак breakfast

зарядка (*acc.* **зарядку**) (morning) exercise

рабóтать (**рабóтаю, рабóтаешь, рабóтают; рабóтал**) *imperf.* to work (*perf.* **порабóтать**)

встать (**встал**) *perf.* to get up (*imperf.* **вставáть**)

проснýться (**проснýлся**) *perf.* to wake up (*imperf.* **просыпáться**)

умыться (**умылся**) *perf.* to wash (onself, one's face) (*imperf.* **умывáться**)

позáвтракать (**позáвтракал**) *perf.* to have breakfast (*imperf.* **зáвтракать**)

поéхать (**поéду, поéдешь, поéдут; поéхал**) *perf.* to set off, depart, go (*imperf.* **éхать**)

приготóвить (**приготóвил**) *perf.* to cook, prepare (*imperf.* **готóвить**)

отпрáвиться (**отпрáвился**) *perf.* to leave (for), to go (*imperf.* **отправляться**)

сдéлать (**сдéлал**) *perf.* to do; to make (*imperf.* **дéлать**)

немнóго a little, somewhat

из + *gen.* from

Сегóдня ýтром я рабóтала. Я встáла в семь утрá. Для меня э́то рановáто.

Оксана

I worked this morning. I got up at 7 a.m. For me, it's a bit early.

семь seven

утрá *gen.* a.m.; of the morning

для + *gen.* for

рановáто a bit early

Сего́дня у́тром я просну́лся, умы́лся, поза́втракал и пое́хал на рабо́ту.

Алексей

This morning I woke up, washed [my face], had breakfast, and went to work.

Сего́дня у́тром я приго́то́вила за́втрак и отпра́вилась за поку́пками на ры́нок.

Вика

This morning I made breakfast and went shopping in the market.

за *+ instr.* for; behind
поку́пка (*instr. pl.* **поку́пками**) purchase

ры́нок market

Сего́дня у́тром я выполня́л рути́нные дела́ по до́му: гото́вил на день и сде́лал небольшу́ю убо́рку.

Артур

This morning I was doing routine housework: I cooked for the day and did a little cleaning.

выполня́ть (**выполня́ю, выполня́ешь, выполня́ют**) *imperf.* to perform, carry out, fulfill (*perf.* **вы́полнить**)
рути́нный (*pl.* **рути́нные**) routine-
де́ло (*pl.* **дела́**) thing, matter; affair, business
по *+ dat.* around
дом (*pl.* **дома́**; *dat.* **до́му**) house

гото́вить (**гото́влю, гото́вишь, гото́вят; гото́вил**) *imperf.* to cook; to prepare (*perf.* **приго́то́вить**)
день *m.* (*pl.* **дни**) day
небольшо́й (*acc. f.* **небольшу́ю**) small, little
убо́рка (*acc.* **убо́рку**) cleaning, tidying up

Сего́дня я с утра́ немно́го порабо́тала, а по́зже пригото́вила за́втрак из хло́пьев и молока́.

Танзиля

Today I worked a little in the morning, and later made a breakfast of cornflakes and milk.

с утра́ in the morning
порабо́тать (порабо́таю, порабо́таешь, порабо́тают; порабо́тал) *perf.* to work (*imperf.* **рабо́тать**)

по́зже later
хло́пья *pl.* (*gen.* **хло́пьев**) cornflakes; flakes
молоко́ (*gen.* **молока́**) milk

Пригото́вил за́втрак, сде́лал заря́дку и немно́го позанима́лся перево́дом веб-ко́микса.

Самат

I made breakfast, exercised, and did a bit of translation of web comics.

позанима́ться (позанима́лся) *perf.* to do, perform, undertake

перево́д (*instr.* **перево́дом**) translation
веб-ко́микс webcomic

Сего́дня у́тром я просну́лась, зате́м вы́шла на у́лицу на пробе́жку.

Надя

This morning I woke up, then I went out for a run.

зате́м then, after that
вы́йти (вы́йду, вы́йдешь, вы́йдут; вы́шел, вы́шла, вы́шло, вы́шли) *perf. (unidirectional)* to go out (*multidirectional* **выходи́ть**)

у́лица (*acc.* **у́лицу**) street
пробе́жка (*acc.* **пробе́жку**) jogging

Сего́дня у́тром я пыта́лся уе́хать из
Екатеринбу́рга в Сухо́й Лог и э́то у меня́
получи́лось.

Дмитрий

This morning I tried to leave Ekaterinburg for Sukhoy Log and I managed to do that.

пыта́ться (пыта́юсь, пыта́ешься, пыта́ются; пыта́лся) *imperf.* to try (*perf.* **попыта́ться**)
уе́хать (уе́хал) *perf.* to leave, depart (*imperf.* **уезжа́ть**)

Екатеринбу́рг (*gen.* **Екатеринбу́рга**) Yekaterinburg
Сухо́й Лог Sukhoy Log
получи́ться (у + *gen.*) **(получи́лся)** *perf.* to work out (for) (*imperf.* **получа́ться**)

Я гуля́ю у́тром с соба́кой. Я сего́дня у́тром
учи́ла англи́йский.

Светлана

I walk my dog in the morning. This morning, I studied English.

гуля́ть (гуля́ю, гуля́ешь, гуля́ют; гуля́л) *imperf.* to stroll, go for a walk (*perf.* **погуля́ть**)
соба́ка (*instr.* **соба́кой**) dog

учи́ть (учу́, у́чишь, у́чат; учи́л) *imperf.* to study, learn (*perf.* **вы́учить**)
англи́йский English

Я просну́лся и поза́втракал, по́сле чего́ на
маши́не отпра́вился на рабо́ту.

Вадим

I woke up and had breakfast, after which I went to work by car.

по́сле + *gen.* after
чего́ *gen.* that; what

маши́на (*prep.* **маши́не**) car

Сего́дня у́тром до рабо́ты я сде́лала заря́дку и пое́ла вку́сный за́втрак.

Аня

This morning before work, I exercised and ate a delicious breakfast.

до + *gen.* before; to
пое́сть (пое́л) *perf.* to eat (*imperf.* **есть**)

вку́сный delicious

Сего́дня у́тром я сде́лал заря́дку сра́зу же как встал, поза́втракал и на́чал рабо́тать.

Влад

This morning I exercised as soon as I got up, had breakfast, and started to work.

сра́зу же как as soon as; **сра́зу** at once, right away, straight

нача́ть (на́чал, начала́, на́чало, на́чали) *perf.* to begin, start (*imperf.* **начина́ть**)

Сего́дня у́тром я вста́ла, приняла́ душ, почи́стила зу́бы, поза́втракала и убрала́ у себя́ в ко́мнате.

Кристина

This morning I got up, took a shower, brushed my teeth, had breakfast, and cleaned my room.

приня́ть (при́нял, приняла́, при́няло, при́няли) *perf.* to take (*imperf.* **принима́ть**)
душ shower
почи́стить (почи́стил) to clean, brush (teeth)
зуб (*pl.* **зу́бы**) tooth

убра́ть (убра́л) *perf.* to clean, tidy up, put away (*imperf.* **убира́ть**)
у себя́ at one's place; at my place
ко́мната (*prep.* **ко́мнате**) room

Сего́дня у́тром я поза́втракал, умы́лся, оде́лся и пое́хал на рабо́ту.

Михаил

This morning I had breakfast, washed up, got dressed, and went to work.

оде́ться (оде́лся) *perf.* to get dressed

Како́е вре́мя го́да и́ли пого́да вам нра́вится?
What time of year or weather do you like?

како́й (*nt.* **како́е**) which, what
вре́мя *nt.* (*pl.* **времена́**; *gen.* **вре́мени**) time
год (*gen.* **го́да**) year
пого́да weather
вам *dat.* (*formal or plural*) to you
нра́виться + *dat.* (**нра́влюсь, нра́вишься, нра́вятся; нра́вился**) *imperf.* to be liked by (*perf.* **понра́виться**)
★ **Како́е вре́мя го́да и́ли пого́да тебе́ нра́вится?**
тебе́ *dat.* (*informal singular*) to you

ле́то summer
зима́ (*pl.* **зи́мы**; *acc.* **зи́му**) winter
весна́ spring
у́лица (*prep.* **у́лице**) street
о́сень *f.* autumn, fall
тепло́ heat, warmth; warm weather
снег (*gen.* **сне́га**) snow

са́мый the most __
краси́вый (*instr. f.* **краси́вой**) beautiful

люби́мый (*pl.* **люби́мые**; *nt.* **люби́мое**) favorite

люби́ть (**люблю́, лю́бишь, лю́бят; люби́л**) *imperf.* to love; to like (*perf.* **полюби́ть**)
предпочита́ть (**предпочита́ю, предпочита́ешь, предпочита́ют; предпочита́л**) *imperf.* to prefer (*perf.* **предпоче́сть**)
мочь (**могу́, мо́жешь, мо́гут; мо́г, могла́, могло́, могли́**) *imperf.* to be able to; can (*perf.* **смочь**)

бо́льше всего́ most of all

всё *nt.* (*gen.* **всего́**) all; everything

поэ́тому so, therefore
потому́ что because
когда́ when
и́ли or

Сло́жный вопро́с! Я люблю́ ле́то, но не са́мую жа́ркую пого́ду. Обожа́ю пла́вать и загора́ть.

Окса́на

Difficult question! I love summer, but not the hottest weather. I love to swim and sunbathe.

сло́жный difficult, hard
вопро́с question
жа́ркий hot
обожа́ть (**обожа́ю, обожа́ешь, обожа́ют; обожа́л**) *imperf.* to adore

пла́вать (**пла́ваю, пла́ваешь, пла́вают; пла́вал**) *imperf.* to swim (*perf.* **попла́вать**)
загора́ть (**загора́ю, загора́ешь, загора́ют; загора́л**) *imperf.* to sunbathe (*perf.* **позагора́ть**)

Бо́льше всего́ мне нра́вится зима́. Я о́чень люблю́ снег и ката́ться на конька́х.

Алексей

Most of all I like winter. I really like snow and ice-skating.

ката́ться (ката́юсь, ката́ешься, ката́ются; ката́лся) to slide, ride

ката́ться на конька́х to ice skate

Мне нра́вится весна́, поско́льку и́менно в э́то вре́мя го́да на у́лице о́чень свежо́ и краси́во.

Вика

I like spring because during this time of the year it's very fresh and beautiful outside.

поско́льку because
и́менно exactly

свежо́ freshly
краси́во beautiful; nice

Мне определённо нра́вится ле́то за его́ со́лнечные и до́лгие дни.

Артур

I definitely like summer for its long, sunny days.

определённо definitely
за *+ acc.* for, because of; *+ instr.* behind
его́ its, his; *acc.* it, him

со́лнечный (*nt.* **со́лнечные**) sunny
до́лгий (*nt.* **до́лгие**) long(-lasting)
день *m.* (*pl.* **дни**) day

Я предпочита́ю прохла́ду и ве́тер, поэ́тому мои́ люби́мые сезо́ны – э́то зима́ и о́сень.

Танзиля

I prefer coolness and wind, so my favorite seasons are winter and autumn.

прохла́да (*acc.* **прохла́ду**) coolness
ве́тер wind

сезо́н (*pl.* **сезо́ны**) season

Я люблю́ о́сень и зи́му, мо́жет потому́ что я из Сиби́ри и мне нра́вится хо́лод.

Самат

I love autumn and winter, maybe because I'm from Siberia and I like the cold.

мо́жет потому́ что maybe because
из *+ gen.* from

Сиби́рь *f.* (*gen.* **Сиби́ри**) Siberia
хо́лод coldness, cold weather

Мне нра́вится ле́то, потому́ что ле́том са́мые краси́вые и необы́чные зака́ты.

Надя

I like summer because in the summer there are the most beautiful and extraordinary sunsets.

ле́том *instr.* in the summer
необы́чный (*pl.* **необы́чные**) unusual

зака́т (*pl.* **зака́ты**) sunset

Любо́е, не могу́ вы́брать конкре́тно. У любо́го вре́мени го́да есть свои́ плю́сы и ми́нусы.

Дмитрий

Any of them. I can not choose specifically. Any season has its pros and cons.

любо́й (*nt.* **любо́е**) any
вы́брать (**вы́брал**) *perf.* to choose, select
  (*imperf.* **выбира́ть**)
конкре́тно specifically, exactly

у + *gen.* **есть** have
свой *pl.* one's; its
плюс (*pl.* **плю́сы**) pro, plus, advantage
ми́нус (*pl.* **ми́нусы**) minus, con, disadvantage

Всё зави́сит от вре́мени го́да и пого́ды. Зимо́й я люблю́ снег, а о́сенью дождь.

Светлана

It all depends on the season and the weather. In the winter, I like snow, and in the autumn, rain.

зави́сит (**от** + *gen.*) it depends (on)
зимо́й *instr.* in the winter

о́сенью *instr.* in autumn, in the fall
дождь *m.* rain

Я всегда́ люблю́ тепло́, поэ́тому ле́то я люблю́ бо́льше всего́.

Вадим

I always love warmth, so I like summer the most.

всегда́ always

Моё люби́мое вре́мя го́да – о́сень. Мне о́чень нра́вится, когда́ на у́лице су́хо и дово́льно прохла́дно.

Аня

My favorite season is autumn. I really like it when it's dry and quite cool outside.

су́хо dry
дово́льно rather, fairly, pretty

прохла́дно cool, chilly

Я бо́льше всего́ предпочита́ю зи́мнее вре́мя го́да, когда́ хо́лодно и сне́га мно́го.

Влад

I mostly prefer wintertime when it is cold and there is a lot of snow.

зи́мний (*nt.* **зи́мнее**) winter-
хо́лодно cold

мно́го *+ gen.* a lot of, much

Моё люби́мое вре́мя го́да – весна́. Тепле́ет, всё расцвета́ет и приро́да стано́вится краси́вой.

Кристина

My favorite season is spring. It gets warm, everything is in bloom, and nature becomes beautiful.

тепле́ть (**тепле́ю, тепле́ешь, тепле́ют; тепле́л**) *imperf.* to get warm, warm up (*perf.* **потепле́ть**)
расцвета́ть (**расцвета́ю, расцвета́ешь, расцвета́ют; расцвета́л**) *imperf.* to bloom, blossom (*perf.* **расцвести́**)

приро́да nature
станови́ться *+ instr.* (**становлю́сь, стано́вишься, стано́вятся; станови́лся**) *imperf.* to become; to start to (*perf.* **стать**)

Моя́ люби́мая пора́ го́да – ле́то, так как в э́то вре́мя тепло́ и мо́жно купа́ться.

Михаил

My favorite season is summer, because at that time it's warm and you can swim.

моя́ *f.* my
пора́ time
так как as, since, because
мо́жно *+ inf.* it is possible to; can

купа́ться (купа́юсь, купа́ешься, купа́ются; купа́лся) *imperf.* to bathe (*perf.* **покупа́ться** or **искупа́ться**)

20

Вам нра́вится петь и́ли танцева́ть?
Do you like to sing or dance?

вам *dat.* (*formal* or *plural*) to you

нра́виться + *dat.* (**нра́влюсь, нра́вишься, нра́вятся; нра́вился**) *imperf.* to be liked by (*perf.* **понра́виться**)

петь (**пою́, поёшь, пою́т; пёл**) *imperf.* to sing (*perf.* **спеть** or **пропе́ть**)

танцева́ть (**танцу́ю, танцу́ешь, танцу́ют; танцева́л**) *imperf.* to dance (*perf.* **потанцева́ть**)

★ **Тебе́ нра́вится петь и́ли танцева́ть?**

тебе́ *dat.* (*informal singular*) to you

му́зыка (*acc.* **му́зыку**; *instr.* **му́зыкой**) music

та́нец (*pl.* **та́нцы**; *gen.* **та́нца**; *gen. pl.* **та́нцев**) dance

люби́ть (**люблю́, лю́бишь, лю́бят; люби́л**) *imperf.* to love; to like (*perf.* **полюби́ть**)

обожа́ть (**обожа́ю, обожа́ешь, обожа́ют; обожа́л**) *imperf.* to adore

уме́ть (**уме́ю, уме́ешь, уме́ют; уме́л**) *imperf.* to be able to, know how to; can (*perf.* **суме́ть**)

хоро́ший (*acc. f.* **хоро́шую**) good

про́сто just, merely

под + *acc.* to the accompaniment of; under
по́сле + *gen.* after

и́ли or
когда́ when
чем than

Танцева́ть. Я всегда́ люби́ла движе́ние. Танцева́ть под хоро́шую гро́мкую му́зыку – э́то кла́ссно!

Окса́на

Dancing. I've always loved movement. Dancing with good, loud music is cool!

всегда́ always
движе́ние motion

гро́мкий (*acc. f.* **гро́мкую**) loud
кла́ссно cool, awesome

Я не о́чень люблю́ петь и́ли танцева́ть. Никогда́ профессиона́льно э́тим не занима́лся.

Алексей

I do not really like to sing or dance. I have never done it professionally.

никогда́ never
профессиона́льно professionally
э́то (*instr.* **э́тим**) this

занима́ться + *instr.* (**занима́юсь,**
занима́ешься, занима́ются; занима́лся)
  imperf. to be engaged in; to do (*perf.* **заня́ться**)

Я про́сто обожа́ю петь и не могу́ прожи́ть и дня без та́нцев.

Вика

I just adore singing and I can not live a day without dancing.

мочь (**могу́, мо́жешь, мо́гут; мо́г, могла́, могло́,**
  могли́) *imperf.* to be able to; can (*perf.* **смочь**)
прожи́ть (**прожи́л**) *perf.* to live (*imperf.* **прожива́ть**)

день *m.* (*gen.* **дня**) day
без + *gen.* without

Мне нра́вится и петь, и танцева́ть, осо́бенно по́сле бока́ла вина́.

Артур

I like to sing and dance, especially after a glass of wine.

осо́бенно especially, particularly
бока́л (*gen.* **бока́ла**) glass

вино́ (*gen.* **вина́**) wine

Я обожа́ю танцева́ть. Мои́ люби́мые сти́ли – э́то реггато́н и дэнсхо́лл.

Танзиля

I adore dancing. My favorite styles are reggaeton and dancehall.

мой * my
люби́мый favorite
стиль *m.* (*pl.* **сти́ли**) styles

реггато́н reggaton
дэнсхо́лл dance hall

Нет, я не люблю́ ни то, ни друго́е. Хотя́ подпева́ю, когда́ я слу́шаю му́зыку оди́н.

Самат

No, I do not like either. Although I sing along when I listen to music alone.

ни... ни... neither... nor...
то *nt.* that
друго́е *nt.* the other one
хотя́ although
подпева́ть (**подпева́ю, подпева́ешь, подпева́ют; подпева́л**) to sing along

слу́шать (**слу́шаю, слу́шаешь, слу́шают; слу́шал**) *imperf.* to listen (to) (*perf.* **послу́шать**)
оди́н alone; one

Я люблю́ танцева́ть, ведь во вре́мя та́нца я забыва́ю обо́ всём и про́сто наслажда́юсь му́зыкой.

Надя

I like to dance, because while dancing I forget about everything and just enjoy the music.

ведь because; you see; after all
вре́мя *nt.* (*pl.* **времена́**) time
забыва́ть (**забыва́ю, забыва́ешь, забыва́ют; забыва́л**) *imperf.* to forget (*perf.* **забы́ть**)
обо́ всём about everything; **всё** (*prep.* **всём**) *nt.* all; everything

наслажда́ться + *instr.* (**наслажда́юсь, наслажда́ешься, наслажда́ются; наслажда́лся**) *imperf.* enjoy (*perf.* **наслади́ться**)

Дмитрий

Нра́вится, но я не уме́ю ни петь, ни танцева́ть. Иногда́ под гита́ру получа́ется сно́сно.

I like it, but I can not sing or dance. Sometimes, accompanied by a guitar, it turns out to be tolerable.

ни... ни... neither... nor...
иногда́ sometimes
гита́ра guitar

получа́ться (получа́юсь, получа́ешься, получа́ются; получа́лся) *imperf.* to work out, be successful (*perf.* получи́ться)
сно́сно tolerable

Светлана

Да, мне нра́вится петь и танцева́ть. Когда́ пра́здник, мы поём и танцу́ем.

Yes, I like to sing and dance. When it's a holiday, we sing and dance.

пра́здник holiday; celebration

мы we

Вадим

Ра́ньше я люби́л танцева́ть, но по́сле того́ как стал ста́рше, не люблю́ э́то.

I used to like to dance, but after I got older, I do not like it.

ра́ньше earlier, before, previously
по́сле того́ как + *clause* after

стать (стал) *perf.* to become; to start to (*imperf.* станови́ться)
ста́рше older

Я бо́льше люблю́ петь, чем танцева́ть. Я о́чень люблю́ ходи́ть в карао́ке с друзья́ми.

Аня

I like singing more than dancing. I really like to go to karaoke with my friends.

бо́льше more
ходи́ть (хожу́, хо́дишь, хо́дят; ходи́л) *imperf.*
(multidirectional) to go (*perf.* **походи́ть**)

карао́ке karaoke
друг (*pl.* **друзья́**; *instr. pl.* **друзья́ми**) friend

Я не о́чень хорошо́ пою́, а танцу́ю ещё ху́же, чем пою́.

Влад

No, I do not sing very well, and I dance even worse than I sing.

хорошо́ well; okay, good
ещё *+ comparative* even more

ху́же worse

Я о́чень люблю́ танцева́ть. Та́нцы – э́то не то́лько удово́льствие, но и хоро́шая физи́ческая нагру́зка.

Кристина

I love to dance. Dancing is not only fun but also good exercise.

то́лько only
удово́льствие pleasure, amusement

физи́ческий (*f.* **физи́ческая**) physical
нагру́зка load, workload

К сожале́нию, я не уме́ю танцева́ть, а вот петь люблю́.

Михаил

Unfortunately, I do not know how to dance, but I love to sing.

к сожале́нию unfortunately

а вот on the other hand, but as for...; **вот** here is/are..., voilà

Какого цвета у вас глаза и волосы?
What color are your eyes and hair?

какой (*gen.* **какого**) which, what
цвет (*pl.* **цвета**; *gen.* **цвета**) color
у + *gen.* at; **у** + *gen.* (**есть**) have
вас *gen.* (*formal* or *plural*) you
глаз (*pl.* **глаза**) eye
волосы *pl.* (*gen. pl.* **волос**) hair
★ **Какого цвета у тебя глаза и волосы?**
тебя *gen.* (*informal singular*) you

карий (*pl.* **карие**) hazel; brown
тёмно- dark
русский (*pl.* **русские**) Russian
коричневый (*pl.* **коричневые**) brown
светлый (*instr. pl.* **светлыми**) light
чёрный (*pl.* **чёрные**) black; (eyes) dark
русый (*pl.* **русые**) fair, light-brown
тёмный (*pl.* **тёмные**) dark
зелёный (*gen.* **зелёного**; *pl.* **зелёные**) green
светло- light-
серый (*pl.* **серые**) (eyes) gray

раньше earlier, before, previously

мой (*pl.* **мои**; *gen. pl.* **моих**; *prep.* **моём**) my

Additional Vocabulary:
седой (hair) gray, white
лысый bald
голубой blue

Карие глаза и тёмно-русые волосы. Кстати, слово "русские" произошло от цвета волос – "русый".

Оксана

Brown eyes and light brown hair. By the way, the word "Russian" comes from the hair color "light brown."

кстати by the way
слово (*pl.* **слова**) word

произойти от + *gen.* (**произошёл, произошла, произошло, произошли**) *perf.* to come from, originate from (*imperf.* **происходить**)

Я брюне́т, у меня́ кори́чневые во́лосы. Глаза́ ка́рие, то есть то́же кори́чневые.

Алексей

I'm a "brunet". I have brown hair. My eyes are hazel, which is also brown.

брюне́т dark-haired man; *f.* **брюне́тка** dark-haired woman, brunette

то есть that is, namely
то́же also

Цвет мои́х воло́с чёрный, а мои́х глаз – се́ро-зелёный. Но натура́льный цвет мои́х воло́с – ру́сый.

Вика

My hair is black, and my eyes are grayish green, but my natural hair color is light-brown.

се́ро-зелёный grayish green

натура́льный natural

У меня́ све́тло-ру́сые во́лосы и глаза́ ка́рего цве́та. Нечáстое явле́ние.

Артур

I have blondish brown hair and hazel eyes. It's rare.

нечáстый infrequent

явле́ние phenomenon

Мой глаза́ ка́рие, а во́лосы ру́сые с ры́жим отли́вом на со́лнце.

Танзиля

My eyes are dark brown, and my hair is light brown with a red tint in the sun.

ры́жий (*instr. pl.* **ры́жим**) red-haired, ginger
отли́в (*instr.* **отли́вом**) tint

со́лнце (the) sun

У меня́ не тёмные во́лосы, наве́рное меня́ мо́жно назва́ть шате́ном.

Самат

I do not have dark hair. Maybe it can be called brown.

наве́рное probably
мо́жно *+ inf.* it is possible to...; can
назва́ть (**назва́л**) *perf.* to call (*imperf.* **называ́ть**)

шате́н (*instr.* **шате́ном**) brown-haired (man);
f. **шате́нка** brown-haired woman, brunette

Глаза́ тёмно-зелёного цве́та, а во́лосы у меня́ све́тло-кори́чневые.

Надя

My eyes are dark green and my hair is light brown.

У меня́ се́рые глаза́ и ру́сые во́лосы тёмного оттéнка. Ра́ньше глаза́ ча́сто быва́ли кра́сными.

Дмитрий

I have gray eyes and hair a dark shade of brown. My eyes often used to be red.

отте́нок (*gen.* **отте́нка**) shade, tint, hue
ча́сто often
быва́ть + *instr.* (**быва́ю, быва́ешь, быва́ют;**
  быва́л) *imperf.* to happen; to be (*perf.*
  побыва́ть)

кра́сный (*instr. pl* **кра́сными**) red

Мои́ глаза́ зелёного цве́та. Я шате́нка, мои́ во́лосы кашта́нового цве́та.

Светлана

My eyes are green. I'm a brunette. My hair is chestnut brown.

шате́нка brunette, brown-haired (woman)

кашта́новый (*gen.* **кашта́нового**) chestnut-brown

Мои́ во́лосы тёмные сейча́с, хотя́ ра́ньше бы́ли све́тлыми. А глаза́ про́сто се́рые.

Вадим

My hair is dark now, although it used to be lighter. My eyes are simply gray.

сейча́с now
хотя́ although

был, была́, бы́ло, бы́ли was/were
про́сто just, merely

У меня́ тёмно-ка́рие глаза́ и кори́чневые, почти́ чёрные, во́лосы.

Аня

I have dark brown eyes and brown, almost black, hair.

почти́ nearly

Цвет мои́х глаз – се́ро-зелёные, а цвет воло́с у меня́ – све́тло-кори́чневые.

Влад

The color of my eyes is grayish green, and I have dark brown hair.

се́ро-зелёный (*pl.* **се́ро-зелёные**) gray-green

У меня́ ка́рие глаза́ и све́тлые во́лосы. Э́то о́чень распространённое сочета́ние в мо́ем го́роде.

Кристина

I have brown eyes and blond hair. This is a very common combination in my city.

све́тлый (*pl.* **све́тлые**) light, fair
распространённый (*nt.* **распространённое**) widespread

сочета́ние combination
го́род (*pl.* **города́**; *prep.* **го́роде**) city

Мои́ глаза́ зелёного цве́та, а во́лосы у меня́ – насы́щенного чёрного цве́та.

Михаил

My eyes are green and my hair is a deep black.

насы́щенный (*gen.* **насы́щенного**) saturated, rich

какóй which, what
у + *gen.* at; **у** + *gen.* (**есть**) have
вас *gen.* (*formal* or *plural*) you
люби́мый favorite
пра́здник (*pl.* **пра́здники**) holiday; celebration
★ **Какóй у тебя́ люби́мый пра́здник?**
тебя́ *gen.* (*informal singular*) you

год year
ёлка (*acc. f.* **ёлку**) Christmas tree
день *m.* (*pl.* **дни**) day
подáрок (*pl.* **подáрки**; *instr. pl.* **подáрками**)
   present, gift
рождéние (*gen.* **рождéния**) birth
Рождествó Christmas

нóвый new
сáмый (*nt.* **сáмое**) the most __
сóбственный own

конéчно of course
же (*emphatic particle, often untranslated*)
óчень very much, a lot; very

мой my
егó its, his; *acc.* it, him

когдá when
потомý что because
что what; that...

люби́ть (**люблю́, лю́бишь, лю́бят; люби́л**)
   imperf. to love; to like (*perf.* **полюби́ть**)
наряжáть (**наряжáю, наряжáешь, наряжáют;
   наряжáл**) *imperf.* to decorate (*perf.* **наряди́ть**)

Конéчно же Нóвый Год! Это скáзочная ночь, когдá вéришь в чудесá.

Оксана

Of course, New Year's! It is a fabulous night when you [can] believe in miracles.

скáзочный (*f.* **скáзочная**) fantastic, magical
ночь *f.* night

вéрить в + *acc.* (**вéрю, вéришь, вéрят**) *imperf.*
   to believe in (*perf.* **повéрить**)
чу́до (*pl.* **чудесá**) miracle, wonder, marvel

Мой люби́мый пра́здник – Но́вый Год. О́чень люблю́ тради́цию наряжа́ть ёлку.

Алексей

My favorite holiday is New Year's. I like the tradition of decorating a Christmas tree.

тради́ция (*acc.* **тради́цию**) tradition

Мой люби́мый пра́здник – э́то Но́вый Год с его́ невероя́тной атмосфе́рой и пода́рками.

Вика

My favorite holiday is New Year's with its incredible atmosphere and gifts.

но́вый new
невероя́тный (*instr. f.* **невероя́тной**)
  unbelievable, incredible

атмосфе́ра (*instr.* **атмосфе́рой**) atmosphere

Мой люби́мый пра́здник – Но́вый Год. Фейерве́рки и гуля́нья – привы́чная карти́на в Росси́и.

Артур

My favorite holiday is New Year's. Fireworks and celebrations is a familiar sight in Russia.

фейерве́рки *pl.* fireworks
гуля́нье (*pl.* **гуля́нья**) celebration; stroll, walk
привы́чный (*f.* **привы́чная**) familiar, customary

карти́на picture
Росси́я (*prep.* **Росси́и**) Russia

Мой са́мый люби́мый пра́здник – Но́вый Год. Са́мое лу́чшее в нём – ощуще́ние ска́зки и таи́нственности.

Танзиля

My favorite holiday is New Year's. The best thing about it is the feeling of fairy tales and mystery.

лу́чший (*nt.* **лу́чшее**) best
в нём *m.* in it
ощуще́ние feeling

ска́зка (*gen.* **ска́зки**) fairy tales
таи́нственность *f.* (*gen.* **таи́нственности**) mystery

Я люблю́ ма́йские пра́здники, потому́ что благодаря́ им я получа́ю не́сколько выходны́х.

Самат

I love holidays in May because thanks to them I get a few days off.

ма́йский (*pl.* **ма́йские**) May-
благодаря́ + *dat.* thanks to, owing to
им *dat.* (to) them
получа́ть (**получа́ю, получа́ешь, получа́ют; получа́л**) *imperf.* to get, receive, obtain (*perf.* **получи́ть**)

не́сколько + *gen. pl.* several
выходны́е *pl.* (*gen. pl.* **выходны́х**) weekend; days off

Но́вый Год – мой са́мый люби́мый пра́здник, потому́ что э́то пра́здник волшебства́.

Надя

New Year's Eve is my favorite holiday because it is a holiday of magic.

волшебство́ (*gen.* **волшебства́**) magic

Коне́чно же мой со́бственный день рожде́ния.
Ещё я уважа́ю день космона́втики.

Дмитрий

Of course, my own birthday. I also hold the Day of Cosmonautics in high regard.

ещё in addition; yet; still; even more
уважа́ть (уважа́ю, уважа́ешь, уважа́ют; уважа́л) *imperf.* to respect

космона́втика (*gen.* **космона́втики**) astronautics, cosmonautics

Мой са́мый люби́мый пра́здник – Рождество́.
Мы наряжа́ем ёлку и под неё кладём пода́рки.

Светлана

My favorite holiday is Christmas. We decorate the Christmas tree and under it we place gifts.

мы we
под неё *f.* under it

класть (кладу́, кладёшь, кладу́т; клал) *imperf.* to put (*perf.* **положи́ть**)

Но́вый Год лю́бят мно́гие на́ши согра́ждане, включа́я меня́. Подча́с бо́льше, чем Рождество́.

Вадим

New Year is loved by many of our fellow citizens, including myself–sometimes more than Christmas.

мно́гие *pl.* many
наш (*pl.* **на́ши**) our
согражданин (*pl.* **согра́ждане**) fellow citizen
включа́я + *acc.* including

меня́ *acc.* me
подча́с occasionally, sometimes
бо́льше more
чем than

Мой люби́мый пра́здник – э́то Ма́сленица. Я о́чень люблю́ пра́здновать его́ с друзья́ми поеда́нием блино́в.

Аня

My favorite holiday is Maslenitsa. I really love to celebrate it with friends eating pancakes.

Ма́сленица Maslenitsa
пра́здновать (пра́здную, пра́зднуешь, пра́зднуют; пра́здновал) *imperf.* to celebrate (*perf.* **отпра́здновать**)

друг (*pl.* **друзья́;** *instr. pl.* **друзья́ми**) friend
поеда́ние (*instr.* **поеда́ние**) eating
блин (*gen. pl.* **блино́в**) pancake

Мой са́мый люби́мый пра́здник – э́то Рождество́ и рожде́ственские кани́кулы зимо́й.

Влад

My favorite holiday is Christmas and the Christmas holidays in the winter.

рожде́ственский (*pl.* **рожде́ственские**) Christmas-

кани́кулы *pl.* vacation
зимо́й *instr.* in the winter

Мой люби́мый пра́здник – мой со́бственный день рожде́ния, потому́ что э́то мой день.

Кристина

My favorite holiday is my own birthday because it is my day.

Мой са́мый люби́мый пра́здник – Но́вый Год. Э́то вре́мя, когда́ вся семья́ собира́ется вме́сте.

Михаил

My favorite holiday is New Year's. It is the time when the whole family gets together.

вре́мя *nt.* (*pl.* **времена́**) time
вся *f.* all
семья́ *f.* family

собира́ться (**собира́юсь, собира́ешься, собира́ются; собира́лся**) *imperf.* to gather; to intend to, be going to (*perf.* **собра́ться**)
вме́сте together

23

Вы уме́ете води́ть маши́ну?
Can you drive?

уме́ть (уме́ю, уме́ешь, уме́ют; уме́л) *imperf.* to be able to, know how to; can (*perf.* суме́ть)

води́ть (вожу́, во́дишь, во́дят) *imperf.* (*multidirectional*) to drive; to lead

маши́на (*gen.* маши́ны; *acc.* маши́ну) car

вожде́ние (*gen.* вожде́ния) driving, steering

★ Ты уме́ешь води́ть маши́ну?

удостовере́ние certificate, certification

права́ *pl.* license; rights

пра́ктика (*gen.* пра́ктики; *instr.* пра́ктикой) practice

руль *m.* (*instr.* рулём) steering wheel

год (*gen.* го́да; *gen. pl.* лет; *prep.* году́) year

три three

два (*f.* две) two

семна́дцать seventeen

есть there is/are

получи́ть (получи́л) *perf.* to get, receive, obtain (*imperf.* получа́ть)

научи́ться (научи́лся) *perf.* to learn (*imperf.* учи́ться)

води́тельский (*nt.* води́тельское; *pl.* води́тельские) driving-, driver's-

к сожале́нию unfortunately

коне́чно of course

о́чень very

хорошо́ well; okay, good

ещё still; ещё не not yet

у + *gen.* at; у + *gen.* (есть) have

за +*acc.* (*movement*) behind; +*instr.* (*location*) behind

acc. + наза́д ___ ago

У меня́ есть води́тельское удостовере́ние (в наро́де – "права́"), но, к сожале́нию, у меня́ нет пра́ктики.

Окса́на

I have a driver's license (in popular parlance: "rights"), but unfortunately, I do not have the training.

наро́д people, folk, nation; в наро́де in popular parlance (*lit.* among the people)

У меня́ есть води́тельские права́, но
со́бственной маши́ны пока́ нет.

Алексей

I have a driver's license, but I do not have my own car yet.

со́бственный (*gen. f.* **со́бственной**) own

пока́ still (not); until
нет *+ gen.* do not have

Я уме́ю води́ть маши́ну, но за руль сажу́сь не
о́чень ча́сто.

Вика

I know how to drive a car, but I'm not often behind the wheel.

сади́ться (**сажу́сь, сади́шься, садя́тся;**
сади́лся) *imperf.* to sit (*perf.* **сесть**)

ча́сто often

Коне́чно, у меня́ есть удостовере́ние на
управле́ние легковы́м тра́нспортным
сре́дством.

Артур

Of course, I have a license to operate a passenger vehicle.

управле́ние driving; control, management
легково́й (*instr.* **легковы́м**) passenger-

тра́нспортный (*instr.* **тра́нспортным**) transport-
сре́дство (*instr.* **сре́дством**) means, vehicle

Да, я уме́ю води́ть маши́ну. Я получи́ла води́тельские права́ три го́да наза́д.

Танзиля

Yes, I know how to drive a car. I got my driver's license three years ago.

Да, у меня́ есть води́тельские права́ катего́рии В. Я получи́л их два го́да наза́д.

Самат

Yes, I have a category B driver's license. I got it two years ago.

катего́рия (*gen.* **катего́рии**) category   **их** *acc.* them; their

Да, коне́чно. Я научи́лась води́ть маши́ну в 17 (семна́дцать) лет в автошко́ле.

Надя

Oh, sure. I learned to drive at age seventeen at a driving school.

автошко́ла (*prep.* **автошко́ле**) driving school

Да, но за рулём не был уже́ три го́да, так что скоре́е – нет.

Дмитрий

Yes, but it's been three years since [I've been] behind the wheel, so it's more a "no."

был, была́, бы́ло, бы́ли was/were
уже́ already

так что so
скоре́е sooner, rather

Да, я уме́ю води́ть маши́ну о́чень хорошо́. Мой стаж вожде́ния 17 (семна́дцать) лет.

Светлана

Yes, I know how to drive very well. I have seventeen years of driving experience.

мой *m.* my

стаж length of service/experience; seniority, tenure

Я вожу́ маши́ну с две ты́сячи восьмо́го го́да. Сейча́с у меня́ тре́тья маши́на.

Вадим

I've been driving since 2008. I now have my third car.

ты́сяча (*gen.* **ты́сячи**) thousand
восьмо́й (*gen.* **восьмо́го**) eighth

сейча́с now
тре́тий (*f.* **тре́тья**) third

Теорети́чески я уме́ю води́ть маши́ну, а вот над пра́ктикой ещё на́до порабо́тать.

Аня

In theory, I know how to drive a car, but in practice I still need to work on it.

теорети́чески in theory, theoretically
вот here is/are…, voilà
над + *instr.* above

на́до + *inf.* must
порабо́тать (порабо́тал) *perf.* to work
   (*imperf.* **рабо́тать**)

К сожале́нию, я ещё не научи́лся води́ть маши́ну, хотя́ о́пыт вожде́ния у меня́ есть.

Влад

Unfortunately, I still haven't learned how to drive, although I have some driving experience.

хотя́ although

о́пыт experience

Я не уме́ю води́ть маши́ну. Я обяза́тельно получу́ води́тельские права́ в сле́дующем году́.

Кристина

I do not know how to drive. I'm sure I'll get a driver's license next year.

обяза́тельно certainly, definitely, without fail
получи́ть (получу́, полу́чишь, полу́чат;
   получи́л) *perf.* to get, receive, obtain
   (*imperf.* **получа́ть**)

сле́дующий (*prep.* **сле́дующем**) next

Я получи́л права́ 12 (двена́дцать) лет наза́д и
о́чень хорошо́ вожу́ автомоби́ль.

Михаил

I got my license 12 years ago, and I drive very well.

двена́дцать twelve   **автомоби́ль** *m.* automobile, car

24

Где вы обычно встречаетесь с друзьями?
Where do you usually meet your friends?

где where
обычно usually
встречаться с *+ instr.* (встречаюсь,
встречаешься, встречаются,) *imperf.* to meet
(*perf.* встретиться)
друг (*pl.* друзья; *instr. pl.* друзьями) friend
★ **Где ты обычно встречаешься с друзьями?**

кафе (*pronounced* [кафэ]) (*prep.* кафе) cafe
парк (*prep.* парке; *prep. pl.* парках) park
центр (*dat.* центру; *prep.* центре) center
город (*pl.* города; *gen.* города) city
бар (*prep.* баре; *prep. pl.* барах) bar
друг (*pl.* друзья; *dat. pl.* друзьями; *dat. pl.*
друзьям) friend
время *nt.* (*pl.* времена) time
магазин (*dat. pl.* магазинам) shop, store
ресторан (*prep. pl.* ресторанах) restaurant
кино (*pl.* кино) cinema

любить (люблю, любишь, любят; любил)
imperf. to love; to like (*perf.* полюбить)
ходить (хожу, ходишь, ходят; ходил)
imperf. (*multidirectional*) to go (*unidirectional*
идти)

обычно usually
дома at home
чаще mostly; more (often)

мы we

по *+ dat.* around
у *+ gen.* at (one's place/home)
всё *n.* (*gen.* всего) all; everything

или or

Обычно мы встречаемся в кафе зимой и на
природе летом.

Оксана

We usually meet at a café in the winter and outdoors in the summer.

зимой *instr.* in the winter
природа (*prep.* природе) nature

летом *instr.* in summer

Мы с друзья́ми лю́бим гуля́ть в па́рках Москвы́ и по це́нтру го́рода.

Алексей

My friends and I like to walk in the parks of Moscow and around the city center.

гуля́ть (гуля́ю, гуля́ешь, гуля́ют; гуля́л) *imperf.*
to stroll, go for a walk (*perf.* **погуля́ть**)

Москва́ (*gen.* Москвы́) Moscow

Обы́чно я встреча́юсь с друзья́ми в па́рке и́ли в кафе́.

Вика

I usually meet my friends in the park or at a café.

Обы́чно я и мои́ друзья́ встреча́емся в ба́ре и́ли у меня́ до́ма.

Артур

I usually meet my friends at a bar or at my house.

мой (*pl.* мои́) my

у меня́ at my place

В после́днее вре́мя мы обща́емся и отдыха́ем в ба́рах и карао́ке.

Танзиля

Recently, we socialize and relax in bars and karaoke lounges.

после́дний (*nt.* **после́днее**) last, latest
обща́ться (**обща́юсь, обща́ешься, обща́ются;**
  обща́лся) *imperf.* to communicate (*perf.*
  пообща́ться)

отдыха́ть (**отдыха́ю, отдыха́ешь, отдыха́ют;**
  отдыха́л) *imperf.* to rest, relax (*perf.*
  отдохну́ть)
карао́ке karaoke

Ча́ще всего́ у них до́ма. Я чу́вствую, что немно́го переро́с посиде́лки в кафе́.

Самат

Mostly at their homes. I feel I've outgrown hanging out at cafés.

у них at their place
чу́вствовать (**чу́вствую, чу́вствуешь,**
  чу́вствуют; чу́вствовал) *imperf.* to feel, think
  (*perf.* **почу́вствовать**)
что that...; what

немно́го a little, somewhat
перерасти́ (**переро́с, переросла́, переросло́,**
  переросли́) *perf.* to outgrow, be too old for
  (*imperf.* **перераста́ть**)
посиде́лки *pl.* gatherings

Я предпочита́ю встреча́ться с друзья́ми в ти́хих места́х, таки́х, как парк, кафе́ и́ли рестора́н.

Надя

I prefer to meet up with friends in quiet places, such as a park, a café, or a restaurant.

предпочита́ть (**предпочита́ю,**
  предпочита́ешь, предпочита́ют;
  предпочита́л) *imperf.* to prefer (*perf.*
  предпоче́сть)
ти́хий (*prep. pl.* **ти́хих**) quiet

ме́сто (*pl.* **места́**; *prep. pl.* **места́х**) place
тако́й (*prep. pl.* **таки́х**) such, (like) this; **тако́й**
  как such as

Я встреча́юсь с друзья́ми на у́лице, неподалёку от како́го-нибудь магази́на, слу́жащего нам ориенти́ром.

Дмитрий

I meet my friends outside, not far from whatever store that serves as a landmark.

у́лица (*prep.* **у́лице**) street
неподалёку от *+ gen.* not far from
какой-нибудь (*gen.* **како́го-нибудь**) some, any

слу́жащего *+ dat. + instr.* which serves ___ as ___
нам *dat.* (to) us
ориенти́р (*instr.* **ориенти́ром**) reference point, landmark, benchmark

Я встреча́юсь с друзья́ми в кафе́. Я хожу́ в го́сти к друзья́м.

Светлана

I meet with friends at a café... I go to my friends' homes.

гость *m.* (*pl.* **го́сти**) guest, visitor; **в го́сти** on a visit   **к** *+ dat.* to (one's home)

Мы встреча́емся в кафе́ и́ли на да́че, хорошо́ проводя́ вре́мя.

Вадим

We meet at a café or in the countryside and have a good time.

да́ча dacha, summer cottage
хорошо́ well; okay, good

проводя́ spending (time)

Обы́чно мы с друзья́ми встреча́емся в кафе́ и рестора́нах. Та́кже, мы лю́бим ходи́ть в кино́.

Аня

Usually, my friends and I meet at cafés and restaurants. Also, we love going to the movies.

та́кже also, in addition

Я люблю́ встреча́ться с друзья́ми в це́нтре го́рода в заведе́нии под назва́нием Ва́фельная.

Влад

I like to meet friends downtown in a place called Wafer.

заведе́ние (*prep.* **заведе́нии**) establishment; institution
под *+ instr.* under

назва́ние (*instr.* **назва́нием**) name, title
ва́фельный (*f.* **ва́фельная**) waffle-, wafer-

С друзья́ми я ча́сто хожу́ в кино́ и по магази́нам, иногда́ мы хо́дим в кафе́.

Кристина

With friends, I often go to the cinema and shopping. Sometimes we go to a café.

ча́сто often

иногда́ sometimes

Со свои́ми друзья́ми я ча́ще всего́ встреча́юсь до́ма и́ли в кафе́.

Михаил

I mostly see my friends at home or at a café.

со (= **с**) + *instr.* with

свой (*instr. pl.* **свои́ми**) my; one's

Что из еды́ вам не нра́вится?
Is there anything you don't like eating?

что what; that...
из + *gen.* from
еда́ (*gen.* **еды́**; *acc.* **еду́**) food
вам *dat.* (*formal* or *plural*) to you
нра́виться + *dat.* (**нра́влюсь, нра́вишься, нра́вятся; нра́вился**) *imperf.* to be liked by (*perf.* **понра́виться**)
★ **Что из еды́ тебе́ не нра́вится?**
тебе́ *dat.* (*informal singular*) to you

морепроду́кты *pl.* seafood
лук (*dat.* **лу́ку**) onion
мя́со (*gen.* **мя́са**; *prep.* **мя́се**) meat
блю́до dish
ка́ша (*acc.* **ка́шу**) porridge

люби́ть (**люблю́, лю́бишь, лю́бят; люби́л**) *imperf.* to love; to like (*perf.* **полюби́ть**)
есть (**ем, ешь, ест, еди́м, еди́те, едя́т; ел**) *imperf.* to eat (*perf.* **пое́сть** or **съесть**)

жи́рный (*acc. f.* **жи́рную**; *nt.* **жи́рное**) oily, greasy, fatty
прия́тен, прия́тна, прия́тно, прия́тны (**прия́тный**) pleasant, nice
варёный (*dat.* **варёному**; *acc. f.* **варёную**) boiled, cooked
сла́дкий (*pl.* **сла́дкие**; *f.* **сла́дкая**) sweet

сли́шком too

мне *dat.* (to) me

Мне не нра́вится о́чень жи́рная еда́. По́сле тако́й еды́ я пло́хо себя́ чу́вствую.

Окса́на

I do not like very fatty food. After such a meal, I feel bad.

по́сле + *gen.* after
тако́й (*gen. f.* **тако́й**) such, (like) this
пло́хо badly

чу́вствовать себя́ (**чу́вствую, чу́вствуешь, чу́вствуют; чу́вствовал**) *imperf.* to feel (*perf.* **почу́вствовать**)

Я не о́чень люблю́ су́ши. Не о́чень прия́тно есть сыру́ю ры́бу.

Алексей

I do not really like sushi. It's not very nice to eat raw fish.

су́ши sushi
сыро́й (*acc. f.* сыру́ю) raw, uncooked

ры́ба (*acc.* ры́бу) fish

Я не люблю́ морепроду́кты и практи́чески все ви́ды мя́са, кро́ме ку́рицы.

Вика

I do not like seafood and practically all kinds of meat except chicken.

практи́чески practically
все *pl.* all; everyone
вид (*pl.* ви́ды) kind, type; appearance

кро́ме *+ gen.* except; besides
ку́рица (*gen.* ку́рицы) chicken

Из еды́ мне не нра́вятся голубцы́, холоде́ц и фарширо́ванный пе́рец.

Артур

As for food, I do not like cabbage rolls, aspic, and stuffed peppers.

голубе́ц (*pl.* голубцы́) cabbage roll
холоде́ц aspic (jellied minced meat)

фарширо́ванный stuffed
пе́рец pepper

Я не могу́ терпе́ть и пита́ю отвраще́ние к жи́ру в мя́се и варёному лу́ку.

Танзиля

I cannot tolerate and I dislike (lit. feed disgust toward) fat in meat and boiled onions.

мочь (**могу́, мо́жешь, мо́гут; мо́г, могла́, могло́, могли́**) *imperf.* to be able to; can (*perf.* **смочь**)
терпе́ть (**терплю́, те́рпишь, те́рпят; терпе́л**) *imperf.* to tolerate, stand (*perf.* **потерпе́ть**)

пита́ть (**пита́ю, пита́ешь, пита́ют; пита́л**) *imperf.* to nourish, feed (*perf.* **напита́ть**)
отвраще́ние к *+ dat.* disgust, aversion (to)
к *+ dat.* to; toward
жир (*dat.* **жи́ру**) fat

Жи́рная пи́ща, свини́на, сли́шком сла́дкие блю́да, ры́ба, не проше́дшая терми́ческую обрабо́тку.

Самат

Fatty foods, pork, overly sweet dishes, fish, those [products] that have not undergone heat treatment.

пи́ща food
свини́на pork
ры́ба fish

проше́дшая having passed through / undergone
терми́ческий (*acc.* **терми́ческую**) thermal, thermic
обрабо́тка (*acc.* **обрабо́тку**) treatment

Мне не нра́вится есть мучны́е блю́да, потому́ что э́то вре́дно для здоро́вья.

Надя

I do not like to eat flour dishes, because it is harmful to our health.

мучно́й (*pl.* **мучны́е**) flour-, made with flour
потому́ что because
вре́дно (**вре́дный**) harmful, bad

для *+ gen.* for
здоро́вье (*gen.* **здоро́вья**) health

Морепроду́кты, помидо́ры, цветна́я капу́ста, кисломоло́чные проду́кты, мёд, ле́чо, кабачко́вая икра́.

Дмитрий

Seafood, tomatoes, cauliflower, cultured dairy products, honey, lecho, zucchini caviar.

помидо́р (*pl.* **помидо́ры**) tomato
цветна́я капу́ста cauliflower
кисломоло́чный (*pl.* **кисломоло́чные**)
  fermented milk-

проду́кт (*pl.* **проду́кты**) product
мёд honey
ле́чо lecho (vegetable ragout)
кабачко́вая икра́ zucchini caviar (spread)

Мне не нра́вится гре́чневая ка́ша. Когда́ я была́ ма́ленькой, я её е́ла о́чень мно́го.

Светлана

I do not like buckwheat porridge. When I was little, I ate a lot of it.

гре́чневый (*f.* **гре́чневая**) buckwheat-
когда́ when
был, была́, бы́ло, бы́ли + *instr.* was/were

ма́ленький (*instr. f.* **ма́ленькой**) small, little
её *gen./acc.* it, her
мно́го a lot

Я не люблю́ варёную ко́жу и варёный лук, а та́кже жи́рную пи́щу.

Вадим

I do not like boiled [chicken] skin or boiled onions, as well as fatty foods.

ко́жа (*acc.* **ко́жу**) skin; peel
та́кже also, in addition

пи́ща (*acc.* **пи́щу**) food

Мне не о́чень нра́вится сли́шком сла́дкая еда́. Наприме́р, сли́шком при́торный шокола́д я стара́юсь обходи́ть стороно́й.

Аня

I do not like food that's too sweet. For example, I try to avoid chocolate that is too rich.

наприме́р for example
при́торный sickly sweet
шокола́д chocolate
стара́ться (стара́юсь, стара́ешься, стара́ются; стара́лся) *imperf.* to try (*perf.* **постара́ться**)

обходи́ть (стороно́й) (обхожу́, обхо́дишь, обхо́дят; обходи́л) *imperf.* to avoid, steer clear of (*perf.* **обойти́**)
сторона́ (*instr.* **стороно́й**) side

Я не люблю́ изю́м. Мне он о́чень проти́вен и неприя́тен.

Влад

I do not like raisins. To me, they are really disgusting and disagreeable.

изю́м raisins
он *m.* it; he
проти́вен, проти́вна, проти́вно, проти́вны (проти́вный) disgusting, repulsive

неприя́тен, неприя́тна, неприя́тно, неприя́тны (неприя́тный) unpleasant, disagreeable.

Я не люблю́ жи́рное мя́со и всю жи́рную еду́. Не люблю́ фаст-фуд.

Кристина

I do not like fatty meats or any greasy food. I do not like fast food.

вся *f.* (*acc.* **всю**) all

фаст-фуд fast food

Я не люблю́ овся́ную ка́шу, мали́новое варе́нье и зелёные оли́вки.

Михаил

I do not like oatmeal, raspberry jam, or green olives.

овся́ный (*acc. f.* **овся́ную**) oat-
мали́новый (*nt.* **мали́новое**) raspberry-
варе́нье jam

зелёный (*pl.* **зелёные**) green
оли́вка (*pl.* **оли́вки**) olive

26

Чего́ вы бои́тесь бо́льше всего́?
What are you most afraid of?

чего́ *gen.* what
боя́ться *+ gen.* (**бою́сь, бои́шься, боя́тся**) *imperf.*
  to be afraid of (*perf.* **забоя́ться**)
бо́льше всего́ most of all
★ **Чего́ ты бои́шься бо́льше всего́?**

высота́ (*gen.* **высоты́**) height
чу́вство (*gen. pl.* **чувств**) feeling, sense
бли́зкие *pl.* (*gen. pl.* **бли́зких**; *anim. acc. pl.*
  бли́зких) loved ones, those close to you;
  бли́зкий close; near

свой (*gen. pl.* **свои́х**; *anim. acc. pl.* **свои́х**)
  my; one's
меня́ *acc./gen.* me
ничего́ *acc.* nothing

у *+ gen.* at; for, with; **у** *+ gen.* (**есть**) have

Я стара́юсь не ду́мать о таки́х веща́х, но война́ –
э́то са́мое стра́шное, что мо́жет быть.

Окса́на

I try not to think about such things, but war is the worst thing that could happen.

стара́ться (**стара́юсь, стара́ешься, стара́ются;**
  стара́лся) *imperf.* to try (*perf.* **постара́ться**)
ду́мать (**ду́маю, ду́маешь, ду́мают; ду́мал**)
  imperf. to think (*perf.* **поду́мать**)
о *+ prep.* about
тако́й (*prep. pl.* **таки́х**) such, (like) this
вещь *f.* (*prep. pl.* **веща́х**) thing

война́ war
са́мый (*nt.* **са́мое**) the most __
стра́шный (*nt.* **стра́шное**) frightening, dreadful
мочь (**могу́, мо́жешь, мо́гут; мог, могла́,**
  могло́, могли́) *imperf.* might; to be able to;
  can (*perf.* **смочь**)
быть to be

Бо́льше всего́ я бою́сь высоты́, поэ́тому с парашю́том никогда́ не пры́гну.

Алексей

Most of all I'm afraid of heights, so I will never jump with a parachute.

поэ́тому so, therefore
парашю́т (*instr.* **парашю́том**) parachute
никогда́ never

пры́гнуть (**пры́гну, пры́гнешь, пры́гнут;
пры́гнул**) *perf.* to jump (*imperf.* **пры́гать**)

Бо́льше всего́ я бою́сь возникнове́ния пробле́м со здоро́вьем у себя́ и у свои́х бли́зких.

Вика

Most of all, I am afraid that health problems for myself and my relatives might appear.

возникнове́ние (*gen.* **возникнове́ния**)
  appearance, onset; origin
пробле́ма (*gen. pl.* **пробле́м**) problem
со (= **с**) with (+ *instr.*)

здоро́вье (*instr.* **здоро́вьем**) health
себя́ *gen.* myself; oneself

Бо́льше всего́ я бою́сь упусти́ть вре́мя и потра́тить его́ впусту́ю.

Артур

Most of all, I'm afraid of wasting time and spending it in vain.

упусти́ть (**упусти́л**) *perf.* to lose, squander; to
  miss, overlook (*imperf.* **упуска́ть**)
вре́мя *nt.* (*pl.* **времена́**) time

потра́тить *perf.* (**потра́тил**) to spend
  (*imperf.* **тра́тить**)
его́ *acc.* it; him
впусту́ю in vain, for nothing

Меня́ пуга́ет ощуще́ние неизве́стности и неопределённости. От э́тих чувств я цепене́ю.

Танзиля

I'm frightened by a sense of suspense and uncertainty. I'm paralyzed by these feelings.

пуга́ть (пуга́ю, пуга́ешь, пуга́ют; пуга́л) *imperf.* to frighten (*perf.* испуга́ть or напуга́ть)
ощуще́ние feeling
неизве́стность *f.* (*gen.* неизве́стности) the unknown
неопределённость *f.* (*gen.* неопределённости) uncertainty

от + *gen.* from
э́то (*gen. pl.* э́тих) this
цепене́ть (цепене́ю, цепене́ешь, цепене́ют; цепене́л) *imperf.* to freeze, become paralyzed (*perf.* оцепене́ть)

Просну́ться одна́жды у́тром и осозна́ть, что за свою́ жизнь я не сде́лал ничего́ сто́ящего.

Самат

Of waking up one morning and realizing that I have not done anything worthwhile in my life.

просну́ться (просну́лся) *perf.* to wake up (*imperf.* просыпа́ться)
одна́жды one day
у́тром *instr.* in the morning
осозна́ть (осозна́л) *perf.* to realize (*imperf.* осознава́ть)

за + *acc.* during; behind
свой (*acc. f.* свою́) my; one's
жизнь *f.* (*gen.* жи́зни) life
сде́лать (сде́лал) *perf.* to do; to make (*imperf.* де́лать)
сто́ящий (*gen.* сто́ящего) worthwhile

Бо́льше всего́ я бою́сь утону́ть. Э́тот страх пресле́дует меня́ с де́тства.

Надя

I'm most afraid of drowning. This fear has haunted me since childhood.

утону́ть (утону́л) *perf.* to drown (*imperf.* тону́ть or утопа́ть)
э́тот *m.* this
страх fear

пресле́довать (пресле́дую, пресле́дуешь, пресле́дуют; пресле́довал) *imperf.* to purse, chase; to torment, persecute
с + *gen.* since, from
де́тство (*gen.* де́тства) childhood

Снóва попáсть в тюрьмý. Вряд ли мне так же повезёт, как в пéрвый раз.

Дмитрий

Of returning to prison. It's unlikely that I would be as lucky as the first time.

снóва again
попáсть (попáл) to get (into) (*imperf.* **попадáть**)
тюрьмá (*acc.* **тюрьмý**) prison, jail
вряд ли it's unlikely that...
мне *dat.* (to) me
так же..., как... as... as...

повезти *+ dat.* (**повезý, повезёшь, повезýт;**
повёз, повезлá, повезлó, повезли) *imperf.*
to be luck for
пéрвый first
раз time

Я мáло чегó боюсь, но бóльше всегó я боюсь высотý.

Светлана

There's not a lot I'm afraid of, but more than anything, I'm afraid of heights.

мáло little, not much

Бóльше всегó я боюсь насильственной смéрти, что меня застрéлят, напримéр.

Вадим

I am most afraid of a violent death–getting shot, for example.

насильственный (*gen. f.* **насильственной**)
violent
смерть *f.* (*gen.* **смéрти**) death

застрелить (застрелю, застрéлишь,
застрéлят; застрелил) *imperf.* to shoot (*perf.*
застрéливать)
напримéр for example

Бо́льше всего́ я бою́сь высоты́, а точне́е то чу́вство, когда́ под тобо́й нет никако́й опо́ры.

Аня

Most of all, I'm afraid of heights, or rather the feeling when there is no support under you.

точне́е more precisely, actually, to be exact
то *nt.* that
когда́ when
под *+ instr.* under

тобо́й *instr.* you
нет *+ gen.* there is not
никако́й (*gen. f.* **никако́й**) no, none
опо́ра (*gen.* **опо́ры**) support

Наве́рное, бо́льше всего́ я бою́сь, что у меня́ ничего́ не полу́чится.

Влад

Probably most of all I'm afraid that I will not succeed.

наве́рное probably

получи́ться (**у** *+ gen.*) (**получи́лся**) *perf.* to work out (for) (*imperf.* **получа́ться**)

Бо́льше всего́ я бою́сь высоты́. Я да́же на своём балко́не не люблю́ стоя́ть.

Кристина

Most of all, I'm afraid of heights. I don't even like to stand on my balcony.

да́же even
своём *prep.* my; one's
балко́н (*prep.* **балко́не**) balcony

люби́ть (**люблю́, лю́бишь, лю́бят; люби́л**) *imperf.* to love; to like (*perf.* **полюби́ть**)
стоя́ть (**стою́, стои́шь, стоя́т, стоя́л**) *imperf.* to stand (*perf.* **постоя́ть**)

Бо́льше всего́ я бою́сь потеря́ть свои́х родны́х и бли́зких люде́й.

Михаил

Most of all I'm afraid of losing my relatives or loved ones.

потеря́ть (потеря́л) *perf.* lose (*imperf.* **теря́ть**)
родны́е *pl.* (*anim. acc. pl.* **родны́х**) relatives; related; native

лю́ди *pl.* (*acc.* **люде́й**) people

Как вы сегодня себя чувствуете?
How do you feel today?

как how; as, like
сегодня today
себя *acc.* oneself; yourself; myself
чувствовать себя (**чувствую, чувствуешь, чувствуют; чувствовал**) *imperf.* to feel (*perf.* **почувствовать**)
★ **Как ты сегодня себя чувствуешь?**

настроение *nt.* mood
погода weather
окно (*instr.* **окном**) window; **за окном** through the window
голова (*pl.* **головы**) head
неделя (*pl.* **недели**; *gen.* **недели**) week

болеть (**болею, болеешь, болеют; болел**)
 imperf. to be ill, be unwell; to hurt (*perf.* **заболеть**)

любимый favorite
хороший (*nt.* **хорошее**) good

отлично excellent(ly)
немного a little, somewhat
прекрасно fine, good
хорошо well; okay, good
впереди ahead, coming up

меня *acc./gen.* me

у + *gen.* at; **у** + *gen.* (**есть**) have; **у** + *gen.* **был** had
за + *instr.* behind; on the other side of

Сегодня я чувствую себя отлично. Утром у меня уже были уроки с любимыми студентами.

Оксана

Today I feel fine. In the morning I already had lessons with my favorite students.

утром *instr.* in the morning
уже already
был, была, было, были was/were

урок (*pl.* **уроки**) lesson
любимый (*instr. pl.* **любимыми**) favorite
студент (*instr. pl.* **студентами**) student

Сего́дня в Москве́ со́лнце, поэ́тому у меня́ о́чень хоро́шее настрое́ние.

Алексей

Today it's sunny in Moscow, so I am in a very good mood.

Москва́ (*prep.* **Москве́**) Moscow
со́лнце (the) sun

поэ́тому so, therefore

Сего́дня я чу́вствую себя́ про́сто великоле́пно, ведь за окно́м стои́т така́я прекра́сная пого́да.

Вика

Today I feel just wonderful because it's such beautiful weather outside.

про́сто just, merely
великоле́пно (**великоле́пный**) wonderful, splendid
ведь because; you see; after all

стоя́ть (**стою́, стои́шь, стоя́т, стоя́л**) *imperf.* to be; to stand (*perf.* **постоя́ть**)
тако́й (*f.* **така́я**) such, (like) this
прекра́сный (*f.* **прекра́сная**) beautiful

Сего́дня я чу́вствую себя́ отли́чно, потому́ что удало́сь вы́полнить мно́го профессиона́льных зада́ч.

Артур

Today I feel great because I managed to perform many professional tasks.

потому́ что because
уда́ться (**уда́мся, уда́шься, удаду́тся; уда́лся**) *perf.* to turn out well, to be a success (*imperf.* **удава́ться**)
вы́полнить (**вы́полнил**) *perf.* to perform, carry out, fulfill (*imperf.* **выполня́ть**)

мно́го + *gen. pl.* a lot of, many
профессиона́льный (*prep. pl.* **профессиона́льных**) professional
зада́ча (*gen. pl.* **зада́ч**) task

Моё самочу́вствие отли́чное на теку́щее вре́мя, хотя́ хо́чется немно́го спать.

Танзиля

My health is excellent right now, although I'm a little sleepy.

мой (*nt.* **моё**; *f.* **моя́**) my
самочу́вствие state of health, well-being
отли́чный (*nt.* **отли́чное**) excellent
теку́щий (*nt.* **теку́щее**) current, present
вре́мя *nt.* (*pl.* **времена́**) time

хотя́ although
(мне) хо́чется I want to *+ inf.*
спать (**сплю, спи́шь, спя́т; спал, спала́, спа́ло, спа́ли**) *imperf.* to sleep (*perf.* **поспа́ть**)

Отли́чно, не боле́ю, а благодаря́ интерне́ту и кни́ге ещё и не скуча́ю.

Самат

Excellent. I'm not sick. And thanks to the Internet and a book, I'm not bored either.

благодаря́ *+ dat.* thanks to, owing to
интерне́т (*dat.* **интерне́ту**) the Internet
кни́га (*dat.* **кни́ге**) book

ещё и не not either; not anymore
скуча́ть (**скуча́ю, скуча́ешь, скуча́ют; скуча́л**) to be bored; to miss

Прекра́сно, пра́вда немно́го боли́т голова́. Наве́рное, по́сле дождя́ я заболе́ла.

Надя

Fine, though I have a little headache. I probably got sick after the rain.

пра́вда though; true
наве́рное probably
по́сле *+ gen.* after

дождь *m.* (*gen.* **дождя́**) rain
заболе́ть (**заболе́л**) *perf.* to fall ill, get sick; to begin to hurt (*imperf.* **заболева́ть**)

Я чу́вствую себя́ взви́нченным, хоть и уста́лым, впереди́ две неде́ли о́тдыха.

Дмитрий

I feel excited, though tired, too, with two weeks of vacation coming up.

взви́нченный (*instr.* **взви́нченным**) excited, wound up
хоть though, although
уста́лый (*instr.* **уста́лым**) tired

два (*f.* **две**) two
о́тдых (*gen.* **о́тдыха**) rest, relaxation

Спаси́бо. Я себя́ чу́вствую хорошо́. Меня́ ничего́ не беспоко́ит и у меня́ хоро́шее настрое́ние.

Светлана

Thank you. I feel fine. Nothing is ailing me, and I'm in a good mood.

спаси́бо thank you
ничего́ nothing

беспоко́ить (**беспоко́ю, беспоко́ишь, беспоко́ят; беспоко́ил**) *imperf.* to worry, trouble, bother (*perf.* **побеспоко́ить** or **обеспоко́ить**)

Сего́дня я чу́вствую себя́ прекра́сно, как, впро́чем, и всегда́. Я чу́вствую бо́дрость и жела́ние жить.

Вадим

Today, I feel great, as, indeed, always. I feel vivacity and desire to live.

впро́чем indeed
всегда́ always
бо́дрость *f.* cheerfulness, good spirits

жела́ние wish, desire
жить (**живу́, живёшь, живу́т; жил, жила́, жи́ло, жи́ли**) *imperf.* to live (*perf.* **пожи́ть**)

Сего́дня я чу́вствую себя́ прекра́сно. За окно́м
моя́ люби́мая пого́да, и впереди́ ждёт
продукти́вный день.

Аня

Today I feel fine. Outside it's my favorite weather and a productive day lies
ahead.

ждать (жду, ждёшь, ждут; ждал) *imperf.* to
wait for, await (*perf.* **подожда́ть**)

продукти́вный productive
день *m.* (*pl.* **дни**) day

Я чу́вствую себя́ хорошо́. Вчера́ я игра́л в
волейбо́л, и э́то меня́ заряжа́ет эне́ргией на всю
неде́лю.

Влад

I feel good. Yesterday I played volleyball, and it energizes me for the whole
week.

вчера́ yesterday
игра́ть в + *acc.* (**игра́ю, игра́ешь, игра́ют;
игра́л**) *imperf.* to play (*perf.* **сыгра́ть** or
поигра́ть)
волейбо́л volleyball

**заряжа́ть (заряжа́ю, заряжа́ешь, заряжа́ют;
заряжа́л**) *imperf.* to charge, load (*perf.* **заряди́ть**)
эне́ргия (*instr.* **эне́ргией**) energy
на + *acc.* for (a duration of)
вся *f.* (*acc. f.* **всю**) all

Я чу́вствую себя́ отли́чно. Я вы́спалась и гото́ва
к нача́лу рабо́чего дня.

Кристина

I feel great. I slept enough and am ready to start my working day.

вы́спаться (вы́спался) *perf.* to get enough sleep
   (*imperf.* **высыпа́ться**)
гото́в (гото́ва, гото́во, гото́вы) ready
к + *dat.* to; toward

нача́ло (*dat.* **нача́лу**) beginning
рабо́чий (*gen.* **рабо́чего**) working, work-
день *m.* (*gen.* **дня**) day

В це́лом, я чу́вствую себя́ непло́хо. Одна́ко, немно́го боли́т голова́.

Михаил

In general, I pretty good. However, I have a bit of a headache.

в це́лом in general
непло́хо not bad, quite good

одна́ко however, though

Что вы собира́етесь де́лать за́втра?

What are you going to do tomorrow?

что what; that...
собира́ться (**собира́юсь, собира́ешься, собира́ются; собира́лся**) *imperf.* to intend to, be going to; to gather (*perf.* **собра́ться**)
де́лать (**де́лаю, де́лаешь, де́лают; де́лал**) *imperf.* to do (*perf.* **сде́лать**)
за́втра tomorrow
★ **Что ты собира́ешься де́лать за́втра?**

рабо́та (*acc.* **рабо́ту;** *gen.* **рабо́ты**) job, work
друг (*pl.* **друзья́;** *instr. pl.* **друзья́ми**) friend
роди́тели *pl.* (*acc.* **роди́телей**) parents
вре́мя *nt.* (*gen.* **вре́мени**) time
день *m.* (*pl.* **дни**) day

пое́хать (**пое́ду, пое́дешь, пое́дут; пое́хал**) *perf. (unidirectional)* to set off, depart, go (*imperf.* **е́хать**)

пойти́ (**пойду́, пойдёшь, пойду́т; пошёл, пошла́, пошло́, пошли́**) *perf.* to go (*imperf.* **идти́**)
посмотре́ть (**посмотре́л**) *perf.* to look at, watch (*imperf.* **смотре́ть**)
рабо́тать (**рабо́таю, рабо́таешь, рабо́тают; рабо́тал**) *imperf.* to work (*perf.* **порабо́тать**)
гуля́ть (**гуля́ю, гуля́ешь, гуля́ют; гуля́л**) *imperf.* to stroll, go for a walk (*perf.* **погуля́ть**)

но́вый (*nt.* **но́вое**) new

мы we
мне *dat./prep.* me

на + *acc.* to
по́сле + *gen.* after

поэ́тому so, therefore
dat. + **на́до** + *inf.* need to...

За́втра суббо́та, поэ́тому е́сли бу́дет хоро́шая пого́да, то мы с па́рнем пое́дем на приро́ду.

Окса́на

Tomorrow is Saturday, so if the weather is good, my boyfriend and I will go to the countryside.

суббо́та Saturday
е́сли... то... if... then...
бу́дет will be
хоро́ший (*f.* **хоро́шая**) good

пого́да weather
па́рень *m.* (*instr.* **па́рнем**) boyfriend; guy
приро́да (*acc.* **приро́ду**) nature

Алексей

За́втра выходно́й, поэ́тому мне не на́до идти́ на рабо́ту. Пойду́ гуля́ть с друзья́ми.

Tomorrow is my day off, so I do not have to go to work. I'm going to go out with my friends.

выходно́й free; day-off

идти́ (иду́, идёшь, иду́т; шёл, шла, шло, шли) *imperf. (unidirectional)* to go

Вика

За́втра я хочу́ прове́дать свои́х роди́телей и посмотре́ть но́вый фильм.

Tomorrow I want to visit my parents and see a new movie.

хоте́ть (хочу́, хо́чешь, хотя́т; хоте́л) *imperf.* to want (*perf.* **захоте́ть**)
прове́дать (прове́дал) *perf.* to visit (*imperf.* **прове́дывать**)

свой (*anim. acc. pl.* **свои́х**) my; one's
фильм movie, film

Артур

За́втра я пойду́ на рабо́ту, впро́чем как и сего́дня. Рути́на!

Tomorrow I will go to work, just like today. Routine!

впро́чем как и just like
сего́дня today

рути́на routine

За́втра на́ша страна́ отмеча́ет День Незави́симости, сле́довательно я плани́рую отдыха́ть.

Танзиля

Tomorrow, our country celebrates Independence Day, so I plan to relax.

наш (*f.* на́ша) our
страна́ (*pl.* стра́ны) country
отмеча́ть (отмеча́ю, отмеча́ешь, отмеча́ют; отмеча́л) *imperf.* to celebrate; to mark, note (*perf.* отме́тить)
день *m.* (*pl.* дни) day
незави́симость *f.* (*gen.* незави́симости) independence

сле́довательно consequently, therefore
плани́ровать (плани́рую, плани́руешь, плани́руют; плани́ровал *imperf.* to plan (*perf.* сплани́ровать)
отдыха́ть (отдыха́ю, отдыха́ешь, отдыха́ют; отдыха́л) *imperf.* to rest, relax (*perf.* отдохну́ть)

Пое́ду к ро́дственникам в дере́вню, а по́сле э́того навещу́ роди́телей.

Самат

I will go to my relatives' in the village, and after that, I'll visit my parents.

к + *dat.* to (one's home)
ро́дственник (*dat. pl.* ро́дственникам) relative, kinsman
в + *acc.* to
дере́вня (*acc.* дере́вню) village

э́то (*gen.* э́того) this
навести́ть (навещу́, навести́шь, навестя́т; навести́л) *perf.* to visit (*imperf.* навеща́ть)

За́втра я собира́юсь посмотре́ть футбо́л с друзья́ми в спорт-ба́ре.

Надя

Tomorrow I'm going to watch soccer with friends in a sports bar.

футбо́л soccer

спорт-ба́р (*prep.* спорт-ба́ре) sports bar

Рабо́тать, занима́ться му́зыкой и неме́цким языко́м, ве́чером с друзья́ми пи́ва попью́.

Дмитрий

Work, do some music and German. In the evening, I'll have a beer with friends.

занима́ться + *instr.* (**занима́юсь, занима́ешься, занима́ются; занима́лся**) *imperf.* to be engaged in; to do (*perf.* **заня́ться**)
му́зыка (*instr.* **му́зыкой**) music
неме́цкий (*instr.* **неме́цким**) German

язы́к (*pl.* **языки́**; *instr.* **языко́м**) language
ве́чером *instr.* in the evening
пи́во (*gen.* **пи́ва**) beer
попи́ть (**попью́, попьёшь, попью́т; попи́л**) *perf.* to have a drink (*imperf.* **пить**)

За́втра мне на́до зако́нчить видеокли́п. Э́та рабо́та занима́ет мно́го вре́мени.

Светлана

Tomorrow I have to finish [making] up a video clip. This work takes a lot of time.

зако́нчить (**зако́нчил**) *perf.* to complete, finish (*imperf.* **зака́нчивать**)
видеокли́п video clip

занима́ть (**занима́ю, занима́ешь, занима́ют; занима́л**) *imperf.* to take (time); to borrow (*perf.* **заня́ть**)
мно́го + *gen.* a lot of, much

Рабо́тать в о́фисе, как я де́лаю э́то ка́ждый день с понеде́льника по пя́тницу.

Вадим

Work at the office, as I do every day from Monday to Friday.

о́фис (*prep.* **о́фисе**) office
ка́ждый every, each
с + *gen.* since, from
понеде́льник (*gen.* **понеде́льника**) Monday

по + *acc.* to, up to
пя́тница (*acc.* **пя́тницу**) Friday

Завтра я собира́юсь пойти́ на рабо́ту, а по́сле рабо́ты мы с колле́гами пойдём гуля́ть.

Аня

Tomorrow I'm going to go to work, and after work, my colleagues and I are going for a walk.

колле́га *m./f.* (*instr. pl.* **колле́гами**) colleague

Завтра я собира́юсь пойти́ в спортза́л и попро́бовать что́-то но́вое.

Влад

Tomorrow I'm going to go to the gym and try something new.

спортза́л gym
попро́бовать (**попро́бовал**) *perf.* to try, attempt
  (*imperf.* **про́бовать**)

что́-то something

Завтра я собира́юсь рабо́тать, убра́ть в кварти́ре и встре́титься с друзья́ми.

Кристина

Tomorrow I'm going to work, clean my apartment, and meet friends.

убра́ть (**убра́л**) *perf.* to clean, tidy up, put away
  (*imperf.* **убира́ть**)
кварти́ра (*prep.* **кварти́ре**) apartment

встре́титься (**встре́тился**) *perf.* to meet
  (*imperf.* **встреча́ться**)

Завтра рабо́чий день, поэ́тому с утра́ я пое́ду на рабо́ту.

Михаил

Tomorrow is a work day, so in the morning I'll go to work.

рабо́чий working, work-   **с утра́** in the morning

Како́е у вас хо́бби?
What is your favorite hobby?

како́й (*nt.* **како́е**) which, what
у *+ gen.* at; **у** *+ gen.* (**есть**) have
вас *gen.* (*formal or plural*) you
хо́бби (*pl.* **хо́бби**) hobby
★ **Како́е у тебя́ хо́бби?**
тебя́ *gen.* (*informal singular*) you

изуче́ние study(ing)
язы́к (*pl.* **языки́**; *gen.* **языка́**; *gen. pl.* **языко́в**)
  language
чте́ние reading

учи́ть (**учу́**, **у́чишь**, **у́чат**; **учи́л**) *imperf.* to study,
  learn; to teach (*perf.* **вы́учить**)
нра́виться *+ dat.* (**нра́влюсь**, **нра́вишься**,
  нра́вятся; **нра́вился**) *imperf.* to be liked by (*perf.*
  понра́виться)
люби́ть (**люблю́**, **лю́бишь**, **лю́бят**; **люби́л**)
  imperf. to love; to like (*perf.* **полюби́ть**)

са́мый (*pl.* **са́мые**) the most __
люби́мый favorite
англи́йский English
иностра́нный (*gen. pl.* **иностра́нных**) foreign

о́чень very much, a lot; very

мой (*nt.* **моё**; *f.* **моя́**) my
мне *dat.* me
меня́ *acc./gen.* me

у *+ gen.* **был** had

Моё хо́бби – э́то изуче́ние языко́в. Сейча́с я учу́ португа́льский. Мне о́чень нра́вится, как он звучи́т!

Окса́на

My hobby is learning languages. Now I'm learning Portuguese. I really like the way it sounds!

сейча́с now
португа́льский Portuguese
он he; it

звуча́ть (**звучу́**, **звучи́шь**, **звуча́т**; **звуча́л**)
  imperf. to sound (*perf.* **прозвуча́ть**)

Я о́чень люблю́ авиа́цию. Люблю́ как лета́ть, так и фотографи́ровать с земли́ самолёты.

Алексей

I really love aviation. I love both flying and taking pictures of aircraft from the ground.

авиа́ция (*acc.* **авиа́цию**) aviation
лета́ть *imperf.* (*multidirectional*) to fly (*unidirectional* **лете́ть**)
как... так и... both... and...
фотографи́ровать (**фотографи́рую, фотографи́руешь, фотографи́руют; фотографи́ровал**) *imperf.* to photograph (*perf.* **сфотографи́ровать**)

с + *gen.* from
земля́ (*gen.* **земли́**) ground, earth
самолёт airplane

Я о́чень люблю́ создава́ть что-нибу́дь свои́ми рука́ми. Мне нра́вится вышива́ть и вяза́ть.

Вика

I really like creating things with my own hands. I like to embroider and knit.

создава́ть (**создаю́, создаёшь, создаю́т; создава́л**) *imperf.* to create (*perf.* **созда́ть**)
что-нибу́дь something
свой (*instr. pl.* **свои́ми**) my; one's
рука́ (*instr. pl.* **рука́ми**) hand

вышива́ть (**вышива́ю, вышива́ешь, вышива́ют**) *imperf.* to embroider
вяза́ть (**вяжу́, вя́жешь, вя́жут; вяза́л**) *imperf.* to knit (*perf.* **связа́ть**)

У меня́ мно́го хо́бби, но са́мые люби́мые – чте́ние, спорт и путеше́ствия.

Артур

I have a lot of hobbies, but my favorite ones are reading, sports, and traveling.

мно́го + *gen. pl.* a lot of, many
спорт sport

путеше́ствие (*pl.* **путеше́ствия**) journey, trip

С де́тства и до настоя́щего вре́мени у меня́ бы́ло увлече́ние техни́ческими нау́ками, осо́бенно программи́рованием.

Танзиля

Since childhood, I've always had a passion for technical sciences, especially programming.

с *+ gen.* since, from
де́тство (*gen.* **де́тства**) childhood
до *+ gen.* until
настоя́щий (*gen.* **настоя́щего**) present
был, была́, бы́ло, бы́ли was/were
увлече́ние passion; hobby

техни́ческий (*instr. pl.* **техни́ческими**) technical
нау́ка (*pl.* **нау́ки**; *instr. pl.* **нау́ками**) science
осо́бенно especially, particularly
программи́рование (*instr.* **программи́рованием**) programming

Чте́ние, интерне́т, просмо́тр кино́ и сериа́лов, а та́кже компью́терные и́гры.

Самат

Reading, the Internet, watching movies, and TV series, as well as computer games.

интерне́т the Internet
просмо́тр watching
кино́ (*pl.* **кино́**; *gen.* **кино́**) cinema
сериа́л (*gen. pl.* **сериа́лов**) TV series

(а) та́кже also, in addition
компью́терный (*pl.* **компью́терные**) computer-
игра́ (*pl.* **и́гры**) game

Я о́чень люблю́ чита́ть кни́ги. Мой са́мый люби́мый жанр – э́то детекти́в.

Надя

I like to read books a lot. My favorite genre is detective [fiction].

чита́ть (**чита́ю, чита́ешь, чита́ют; чита́л**)
  imperf. to read (*perf.* **прочита́ть**)
кни́га (*pl.* **кни́ги**) book

жанр genre
детекти́в detective

Я занима́юсь му́зыкой: слу́шаю му́зыку, пишу́, продюси́рую, исполня́ю. Мой основно́й инструме́нт – бас-гита́ра.

Дмитрий

I'm engaged in music: listening to music, writing, producing, and performing. My main instrument is the bass guitar.

занима́ться + *instr.* (**занима́юсь, занима́ешься, занима́ются; занима́лся**) *imperf.* to be engaged in; to do (*perf.* **заня́ться**)

слу́шать (**слу́шаю, слу́шаешь, слу́шают; слу́шал**) *imperf.* to listen (to) (*perf.* **послу́шать**)

му́зыка (*instr.* **му́зыкой**; *acc.* **му́зыку**) music

писа́ть (**пишу́, пи́шешь, пи́шут; писа́л**) *imperf.* to write (*perf.* **написа́ть**)

продюси́ровать (**продюси́рую, продюси́руешь, продюси́руют; продюси́ровал**) *imperf.* to produce

исполня́ть (**исполня́ю, исполня́ешь, исполня́ют; исполня́л**) *imperf.* to carry out, fulfill, perform (*perf.* **испо́лнить**)

основно́й main, principal, fundamental

инструме́нт instrument

бас-гита́ра bass-guitar

Я собира́ю почто́вые ма́рки. Моя́ рабо́та – моё хо́бби: я люблю́ де́лать ра́зные фи́льмы.

Светлана

I collect postage stamps. My work is my hobby: I like to make various films.

собира́ть (**собира́ю, собира́ешь, собира́ют; собира́л**) *imperf.* to gather (*perf.* **собра́ть**)

почто́вый (*pl.* **почто́вые**) postal

ма́рка (*pl.* **ма́рки**) postage stamp

рабо́та job, work

де́лать (**де́лаю, де́лаешь, де́лают; де́лал**) *imperf.* to make; to do (*perf.* **сде́лать**)

ра́зный (*pl.* **ра́зные**) different

фильм (*pl.* **фи́льмы**) movie, film

Медици́на – э́то профе́ссия, но она́ же и хо́бби, как и англи́йский язы́к.

Вадим

Medicine. It is a profession, but it is also a hobby, as is English.

медици́на (study of) medicine

профе́ссия profession

она́ it; she

же (и) (*emphatic particle, often untranslated*)

как (и) (just) like

У меня́ есть не́сколько хо́бби: рисова́ние, пе́ние, и изуче́ние иностра́нных языко́в.

Аня

I have several hobbies: drawing, singing, and learning foreign languages.

не́сколько +*gen. pl.* several
рисова́ние drawing, painting

пе́ние singing

Моё хо́бби – э́то изуче́ние кита́йского языка́, и ещё я учу́ други́х, как на нём говори́ть.

Влад

My hobby is learning Chinese, and I also teach others how to speak it.

кита́йский (*gen.* **кита́йского**) Chinese
ещё additionally
друго́й (*anim. acc. pl.* **други́х**) other
как how; as, like
на нём *m.* in it

говори́ть (**говорю́, говори́шь, говоря́т; говори́л**) *imperf.* to speak; to say (*perf.* **сказа́ть**)

Моё хо́бби – изуче́ние иностра́нных языко́в. Я зна́ю англи́йский, неме́цкий и испа́нский.

Кристина

My hobby is learning foreign languages. I know English, German and Spanish.

знать (**зна́ю, зна́ешь, зна́ют; знал**) *imperf.* to know (*perf.* **узна́ть**)

неме́цкий German
испа́нский Spanish

Моё хо́бби – э́то хокке́й. Э́тот вид спо́рта помога́ет развива́ть си́лу и выно́сливость.

Михаил

My hobby is hockey. This sport helps develop strength and endurance.

хокке́й hockey
э́тот *m.* this
вид kind, type; appearance
спорт (*gen.* **спо́рта**) sport
помога́ть (**помога́ю, помога́ешь, помога́ют; помога́л**) *imperf.* to help (*perf.* **помо́чь**)

развива́ть (**развива́ю, развива́ешь, развива́ют; развива́л**) *imperf.* to develop (*perf.* **разви́ть**)
си́ла (*acc.* **си́лу**) strength, force
выно́сливость *f.* endurance

Как бы вы описа́ли себя́ как ли́чность?
How would you describe your personality?

как how; as, like
бы would
описа́ть (описа́л) *perf.* to describe (*imperf.* **опи́сывать**)
себя́ *acc.* oneself; yourself; myself
ли́чность *f.* personality
★ *m.* **Как бы ты описа́л себя́ как ли́чность?**; *f.* **Как бы ты описа́ла себя́ как ли́чность?**

челове́к (*pl.* **лю́ди**; *gen./acc.* **челове́ка**; *instr. pl.* **людьми́**) person, human
обще́ние socializing; communication

друго́й (*dat. pl.* **други́м**; *instr. pl.* **други́ми**) other
споко́йный calm
за́мкнутый reserved
дружелю́бный friendly
отве́тственный (*f.* **отве́тственная**) responsible

тво́рческий (*f.* **тво́рческая**) creative
надёжный (*f.* **надёжная**) reliable
весёлый (*f.* **весёлая**) cheerful, merry, fun
общи́тельный (*f.* **общи́тельная**) sociable; communicative
целеустремлённый (*gen.* **целеустремлённого**; *acc. f.* **целеустремлённую**) purposeful, focused, single-minded

о́чень very
легко́ easily

к *+ dat.* to; toward
по́сле *+ gen.* after
с *+ instr.* with

Я че́стная, воспи́танная де́вушка. Наве́рное, о́чень тре́бовательна к себе́ и к други́м.

Окса́на

I'm an honest, well-mannered gal. Probably very demanding of myself and others.

че́стный (*f.* **че́стная**) honest
воспи́танный (*f.* **воспи́танная**) well-mannered, courteous
де́вушка young woman; girl

наве́рное probably
тре́бователен, тре́бовательна (**тре́бовательный**) demanding, exacting, particular, fastidious
себе́ *dat.* myself; oneself

Я доста́точно споко́йный челове́к, немно́го за́мкнутый, но дружелю́бный и приве́тливый.

Алексей

I'm quite a calm person, a bit reserved, but friendly and welcoming.

доста́точно rather, quite; enough
немно́го a little, somewhat

приве́тливый affable, friendly

Могу́ сказа́ть, что я отве́тственный, тво́рческий, справедли́вый, добросо́вестный и надёжный челове́к.

Вика

I might say that I am a responsible, creative, fair, honest, and dependable person.

мочь (**могу́, мо́жешь, мо́гут; мо́г, могла́, могло́, могли́**) *imperf.* might; to be able to; can (*perf.* **смочь**)
сказа́ть (**сказа́л**) *perf.* to say; tell (*imperf.* **говори́ть**)

что that…; what
справедли́вый equitable, fair
добросо́вестный conscientious, honest

Весёлый, общи́тельный, уси́дчивый и легко́ обуча́емый. Неплохо́е нача́ло для резюме́, согласи́тесь.

Артур

Cheerful, sociable, hard-working, and a quick learner. Not a bad beginning for a resumé, you will agree.

уси́дчивый hard-working, diligent
обуча́емый learner
неплохо́й (*nt.* **неплохо́е**) not bad, quite good
нача́ло beginning, start
для *+ gen.* for

резюме́ (*gen.* **резюме́**) resumé
согласи́ться (**соглашу́сь, согласи́шься, соглася́тся; согласи́лся**) *perf.* to agree, concur (*imperf.* **соглаша́ться**)

Осно́вываясь на слова́х мои́х бли́зких друзе́й, меня́ мо́жно описа́ть как челове́ка целеустремлённого и жизнера́достного.

Танзиля

According to what my close friends say, I can be described as a purposeful, cheerful person.

осно́вываясь на *+ prep.* based on, according to
сло́во (*pl.* слова́; *prep. pl.* слова́х) word
мо́й (*gen. pl.* мои́х) my
бли́зкий (*gen. pl.* бли́зких) close, intimate; near
друг (*pl.* друзья́; *gen. pl.* друзе́й) friend

меня́ *acc.* me
мо́жно *+ inf.* it is possible to...; can
жизнера́достный (*gen.* жизнера́достного) cheerful, joyous

Я дово́льно за́мкнутый челове́к, предпочита́ю де́лать всё сам, но не про́тив заводи́ть знако́мства с други́ми людьми́.

Самат

I'm a pretty reserved person. I prefer to do everything myself, but I have nothing against getting to know other people.

дово́льно rather, fairly, pretty
предпочита́ть (предпочита́ю, предпочита́ешь, предпочита́ют; предпочита́л) *imperf.* to prefer (*perf.* предпоче́сть)
де́лать (де́лаю, де́лаешь, де́лают; де́лал) *imperf.* to do; to make (*perf.* сде́лать)
всё *n.* all; everything

сам, сама́, само́, са́ми (by) oneself,
про́тив against
заводи́ть (завожу́, заво́дишь, заво́дят; заводи́л) *imperf.* to form, start (friendship, etc.) (*perf.* завести́)
знако́мство (*pl.* знако́мства) acquaintance, meeting

Я бы себя́ описа́ла как о́чень целеустремлённую ли́чность с амби́циями.

Надя

I would describe myself as a very purposeful person with ambition.

амби́ция (*instr. pl.* амби́циями) ambitions

Окружён, но не сло́млен! По́сле наркозави́симости и тюрьмы́ я продолжа́ю жить и иска́ть лу́чшую до́лю.

Дмитрий

Surrounded, but not broken! After drug addiction and prison, I continue to live and to seek a better life.

окружён (окружённый) surrounded
сло́млен broken
(нарко)зави́симость *f.* (*gen.* **наркозави́симости**) (drug) addiction
тюрьма́ (*gen.* **тюрьмы́**) prison, jail
продолжа́ть (продолжа́ю, продолжа́ешь, продолжа́ют; продолжа́л) *imperf.* to continue (*perf.* **продо́лжить**)

жить (живу́, живёшь, живу́т; жил, жила́, жи́ло, жи́ли) *imperf.* to live (*perf.* **пожи́ть**)
иска́ть (ищу́, и́щешь, и́щут; иска́л) *imperf.* to search, look for (*perf.* **поиска́ть**)
лу́чший (*acc.* **лу́чшую**) better; best
до́ля (*acc.* **до́лю**) portion, part, share

Я тво́рческая, общи́тельная. Довожу́ все свои́ дела́ до конца́, пе́ред тру́дностями не пасу́ю.

Светлана

I am creative and sociable. I follow through with my affairs to the end, I do not give in to difficulties.

доводи́ть до + *gen.* (**довожу́, дово́дишь, дово́дят; доводи́л**) *imperf.* to fulfill, carry out (*perf.* **довести́**)
все *pl.* all; everyone
свой (*pl.* **свои́**) my; one's
де́ло (*pl.* **дела́**) thing, matter; affair, business
до + *gen.* until; before; to

коне́ц (*gen.* **конца́**) end, ending
пе́ред + *instr.* before; in front of
тру́дность *f.* (*instr. pl.* **тру́дностями**) difficulty
пасова́ть (пасу́ю, пасу́ешь, пасу́ют; пасова́л) *imperf.* to give up, give in (*perf.* **спасова́ть**)

Я споко́ен и дружелю́бен, трудолюби́в и пунктуа́лен. Я люблю́ обща́ться и выполня́ть ра́зные зада́чи.

Вадим

I am calm and friendly, hardworking and punctual. I love to communicate and perform different tasks.

споко́ен, споко́йна (споко́йный) calm
дружелю́бен (дружелю́бный) friendly
трудолюби́в (трудолюби́вый) hard-working, industrious, diligent
пунктуа́лен, пунктуа́льна, пунктуа́льно, пунктуа́льны (пунктуа́льный) punctual
люби́ть (люблю́, лю́бишь, лю́бят; люби́л) *imperf.* to love; to like (*perf.* **полюби́ть**)

обща́ться (обща́юсь, обща́ешься, обща́ются; обща́лся) *imperf.* to communicate (*perf.* **пообща́ться**)
выполня́ть (выполня́ю, выполня́ешь, выполня́ют) *imperf.* to perform, carry out, fulfill (*perf.* **вы́полнить**)
ра́зный (*pl.* **ра́зные**) different
зада́ча (*pl.* **зада́чи**) task

Я бы описа́ла себя́ как самостоя́тельную ли́чность, лю́бящую обще́ние с людьми́ и но́вые приключе́ния.

Аня

I would describe myself as an independent person who loves socializing with people and [loves] new adventures.

самостоя́тельный (*acc.* **самостоя́тельную**) independent
лю́бящий (*acc.* **лю́бящую**) loving

но́вый (*pl.* **но́вые**) new
приключе́ние (*pl.* **приключе́ния**) adventure

Я о́чень дружелю́бный, мне легко́ даётся обще́ние с людьми́. Я бы́стро нахожу́ о́бщий язы́к.

Влад

I am very friendly; it's easy for me to socialize with people, I quickly hit it off (*lit.* find a common language) [with people].

мне *dat.* me
дава́ться + *dat.* (**даётся**; **дава́лся**) *imperf.* to come easy (to) (*perf.* **да́ться**)
бы́стро fast, quickly

находи́ть (**нахожу́, нахо́дишь, нахо́дят; находи́л**) *perf.* to find (*imperf.* **найти́**)
о́бщий common, mutual
язы́к (*pl.* **языки́**) language

Я откры́тая, любозна́тельная, надёжная, хоро́ший друг, отве́тственная, до́брая, трудолюби́вая, весёлая.

Кристина

I'm an open, curious, and reliable; a good friend, responsible, kind, hard working, and cheerful.

откры́тый (*f.* **откры́тая**) open
любозна́тельный (*f.* **любозна́тельная**) curious
хоро́ший good
друг (*pl.* **друзья́**) friend

до́брый (*f.* **до́брая**) kind, good
трудолюби́вый (*f.* **трудолюби́вая**) hard-working, industrious, diligent

Я споко́йный и рассуди́тельный челове́к, кото́рый не скло́нен к ри́ску.

Михаил

I am a calm and reasonable person who is not inclined to take risks.

рассуди́тельный reasonable
кото́рый who, that; which

скло́нен, скло́нна, скло́нно, скло́нны к *+ dat.*
  inclined toward, tending to
риск (*dat.* **ри́ску**)

1   Как вас зовут?

Оксана:	Меня зовут Оксана. Это украинское имя, но мои родители русские и я родилась в России.
Алексей:	Меня зовут Алексей. Это обычное имя в России греческого происхождения.
Вика:	Меня зовут Виктория. Это полная форма моего имени, но вы можете называть меня просто Вика.
Артур:	Меня зовут Артур. Это имя кельтского происхождения, и оно означает "медведь".
Танзиля:	Меня зовут Танзиля. Данное имя арабского происхождения, означающее "ниспосланная свыше".
Самат:	Меня зовут Самат Бейсекеев. В детстве моя фамилия вызывала проблемы у учителей.
Надя:	Меня зовут Надира, но все друзья зовут меня просто Надя.
Дмитрий:	Меня зовут Дмитрий Николаевич Лагуткин. Друзья называют меня Бася, Босяк или Басист.
Светлана:	Меня зовут Светлана. Это имя дали мне при рождении мои родители.
Вадим:	Меня зовут Степанов Вадим Алексеевич. Я очень люблю своё имя, но не люблю фамилию.
Аня:	Моё вьетнамское имя очень длинное, поэтому в России и за границей меня зовут просто Аня.
Влад:	Меня зовут Владислав Юрьевич Стасюк, но для друзей я просто Влад.
Кристина:	Меня зовут Кристина. Это имя для меня выбрал дедушка, и оно мне очень нравится.
Михаил:	Меня зовут Михаил. Это одно из самых популярных имён в славянских странах.

2   Откуда вы?

Оксана:	Я родилась в маленьком городе Усолье-Сибирское Иркутской области, недалеко от озера Байкал.
Алексей:	Я родился и прожил всю жизнь в Москве, столице России.
Вика:	Я из Украины. На данный момент я проживаю в её столице, Киеве.
Артур:	Я родился и вырос в Новороссийске. Это город в России на побережье Чёрного моря.
Танзиля:	Я родилась в городе Бухара, расположенном на юге моей родины.
Самат:	Я родился и вырос в городе Омске, который находится в России.

Надя:	Я родом из города Бишкек. Бишкек – это столица республики Кыргызстан.
Дмитрий:	Россия, Уральский регион, Свердловская область, город Сухой Лог, район Шестидесятки (Юго-Западный).
Светлана:	Я из Казахстана. Население Казахстана семнадцать миллионов человек. В Казахстане проживают 120 национальностей.
Вадим:	Я родился в Псковской области России, той местности, где жил Пушкин.
Аня:	Мои родители родом из Вьетнама, а сама я родилась и выросла в России.
Влад:	Я родился в городе Вильнюс, в Литовской Республике. Это в Балтийском регионе.
Кристина:	Я из России, из города Ростов-на-Дону. Я здесь родилась и выросла.
Михаил:	Я родом из Беларуси. Это небольшая страна между Россией и Польшей.

3   Сколько вам лет?

Оксана:	Мне 28 лет. Моя сестра старше меня на 3,5 года. Сейчас ей 32.
Алексей:	Мне 24 года, скоро будет 25. Я родился в 1992 году в Москве.
Вика:	Мне в этом году исполнилось 29 лет, а в следующем будет юбилей.
Артур:	Не так давно в августе этого года мне исполнилось 26 лет.
Танзиля:	На данный момент мне 26 лет. Я родилась в конце весны 1991 года.
Самат:	Мне 25 лет. Хотя все говорят, что я выгляжу гораздо моложе.
Надя:	Я родилась 29 мая в 1997 году. Соответственно мне сейчас 20 лет.
Дмитрий:	Мне 23 года. Сейчас мне дают 16-18 лет на вид.
Светлана:	Мне 40 лет. Самый хороший возраст. Я очень счастливая и у меня всё хорошо.
Вадим:	Сейчас мне уже 34 года. Скоро я отпраздную свой очередной день рождения.
Аня:	Мне 21 год. Через месяц будет уже 22.
Влад:	Мне 21 год. Скоро мне будет 22 года.
Кристина:	В этом году мне исполнилось 30 лет, а в душе мне всё ещё восемнадцать.
Михаил:	Мне 34 года, а я всё ещё считаю себя молодым.

4   Когда вы родились?

Оксана:	Я родилась 18 декабря. Мама говорит, что это был очень-очень холодный день.
Алексей:	Я родился в 1992 году, то есть сразу после развала Советского Союза.
Вика:	Я родилась 9 мая 1988 года в День Победы.
Артур:	Я родился 17 августа 1991 года. В этот год распался СССР.
Танзиля:	Я родилась 31 марта 1991 года, воскресным ясным весенним днём.
Самат:	Я родился 16 января 1992 года. Я с уверенностью могу говорить, что родился в 20-ом веке.
Надя:	Я родилась 29 мая 1997 года, примерно в семь утра в четверг.
Дмитрий:	Я родился 26 июня 1994 года.
Светлана:	1977 год. По гороскопу "Год Огненной Змеи".
Вадим:	Я родился в первый месяц осени, сразу после тёплого лета.
Аня:	Я родилась утром 14 сентября 1995 года.
Влад:	Я родился зимой, 2 января 1996 года.
Кристина:	Я родилась 29 апреля. Я рада, что родилась весной. Моё любимое время года.
Михаил:	Я родился 4 марта 1983 года в городе Витебске. В те времена моя страна называлась СССР.

5   Чем вы занимаетесь?

Оксана:	Я преподаватель русского языка как иностранного. Мне очень нравится то, чем я занимаюсь.
Алексей:	Я программист, работаю в банке. Каждый день работаю, чтобы клиенты были довольны.
Вика:	Я работаю фрилансером: даю языковые уроки, перевожу тексты или устные беседы.
Артур:	Я работаю в университете на факультете журналистики. Часто мне удаётся поучаствовать в проектах на стороне.
Танзиля:	Я работаю разработчиком мобильных приложений. На данный момент занимаюсь музыкальным проектом.
Самат:	Я занимаюсь переводом с английского на русский, также помогаю в переводе веб-комикса.
Надя:	Я учусь на юриста в юридической академии. Я будущий юрист.
Дмитрий:	Я перевожу различные тексты, управляю email-рассылками, пишу музыку, учусь немецкому языку и игре на барабанах.
Светлана:	Я видеоредактор. Мне нравится делать разные видео. Мои видео есть в YouTube.

Вадим:	Я работаю врачом в офисе, наблюдаю за здоровьем сотрудников холдинга.
Аня:	Я работаю преподавателем английского языка в лингвистическом центре на постоянной основе.
Влад:	Я свободный агент, помогаю разным клиентам и выполняю ихние поручения.
Кристина:	Я работаю переводчиком. Я очень люблю свою работу, потому что я много путешествую и знакомлюсь с новыми людьми.
Михаил:	Я работаю менеджером в компании, которая занимается разработкой компьютерных игр.

6   Где вы живёте?

Оксана:	Я живу в своём родном городе. Пять лет назад я жила и работала в Таиланде.
Алексей:	Я живу в квартире в большом доме в обычном районе города.
Вика:	Я живу в Киеве в собственной квартире вместе с мужем и сыном.
Артур:	Я живу в Санкт-Петербурге, который в советское время назывался Ленинград, а в царское – Петроград.
Танзиля:	Я живу в солнечном городе Ташкент, который является столицей Республики Узбекистан.
Самат:	В городе Омске. Он находится в Омской области и входит в состав Сибирского Федерального округа.
Надя:	Я живу в южной части города, рядом с парком и музеем.
Дмитрий:	Я живу в частном доме, в частном секторе на юго-западе Сухого Лога.
Светлана:	Я живу в городе Алматы. Город Алматы находится у подножья гор.
Вадим:	Россия – самая большая страна в мире, а я живу во втором по величине городе.
Аня:	На данный момент я живу в России, а именно в городе Москве.
Влад:	Родом я из Литвы, но сейчас я проживаю в городе Лидс, Англия.
Кристина:	Я живу в России, в городе Ростов-на-Дону. Я очень люблю свой город.
Михаил:	Я живу в столице Беларуси – в Минске. Для меня это лучший город.

7   Вы женаты? / Вы замужем?

Оксана:	Официально я не замужем, но мы живём вместе с любимым человеком.
Алексей:	Я холост, пока ещё не женился, хотя часть моих сверстников уже в браке.
Вика:	Я замужем. Мой муж иностранец, и это не мешает нам жить счастливо.
Артур:	Нет, я не женат, но планирую, потому что у меня есть кое-кто на примете.
Танзиля:	Я не замужем и не планирую справлять свадьбу в ближайшие пару лет.
Самат:	Нет, я не женат. В отношениях на данный момент тоже не состою.
Надя:	Нет, я не замужем пока, но у меня есть парень.
Дмитрий:	Я, так сказать, в гражданском браке; с моей барышней мы вместе уже шесть лет.
Светлана:	Да. Я замужем. У меня большая и дружная семья. В нашей семье есть две собаки.
Вадим:	Я женат с 2008 года и живу вместе с женой в Санкт-Петербурге.
Аня:	Нет, на данный момент я пока что ещё не замужем.
Влад:	Я не женат, но я встречаюсь с девушкой, с которой у меня серьёзные отношения.
Кристина:	Я не замужем, но у меня есть жених, с которым мы планируем пожениться.
Михаил:	Я женат, и у меня двое детей: старший сын и младшая дочь.

8   У вас есть братья или сёстры?

Оксана:	Да, у меня есть старшая сестра Катя. Мы с ней абсолютно не похожи.
Алексей:	У меня есть старший брат. Мы с ним очень похожи.
Вика:	У меня есть один брат. Не представляю свою жизнь без него.
Артур:	У меня есть брат. Ему 5 лет. Также у меня есть сестра. Ей 18.
Танзиля:	У меня есть замечательная старшая сестра и трое двоюродных братьев.
Самат:	Да, у меня есть брат. Его зовут Жанат. Он старше меня на 8 лет.
Надя:	У меня очень большая семья, так как у меня четыре сестры и двое братишек.
Дмитрий:	Да, у меня есть младший брат. Его зовут Юрий, он младше на 3 года.

Светлана:	У меня нет брата и сестры. Я у папы и мамы одна.
Вадим:	У меня есть одна родная сестра и много двоюродных братьев и сестёр.
Аня:	У меня есть один младший брат и одна младшая сестра.
Влад:	У меня есть старший брат. Его зовут Дима. Ему 27 лет.
Кристина:	У меня есть сестра, которая живёт в другой стране, и мы редко видимся.
Михаил:	К сожалению, я один в семье, но я всегда хотел иметь брата или сестру.

9   Вы говорите на иностранных языках?

Оксана:	Да, я училась в лингвистическом университете и говорю по-английски, по-французски и по-португальски.
Алексей:	Я хорошо говорю по-английски, так как этот язык преподают во всех школах.
Вика:	Я говорю свободно на двух иностранных языках: на английском и на французском.
Артур:	Я говорю на английском и немецком языках. В будущем хочу освоить голландский или шведский.
Танзиля:	Да, я свободно общаюсь на английском языке и немного на узбекском.
Самат:	Да, я довольно хорошо владею английским языком, даже прошёл пару тестов.
Надя:	Да, я могу говорить на трёх иностранных языках. Это китайский, английский и кыргызский.
Дмитрий:	Да, помимо русского я владею английским и немецким языками. Немецкий знаю хуже.
Светлана:	Я учу английский. Через шесть месяцев я буду хорошо говорить на английском. Это сейчас главное.
Вадим:	Я говорю на английском языке, но не очень бегло. Пишу я лучше.
Аня:	Да, я свободно говорю на трёх языках. Сейчас ещё пытаюсь выучить китайский.
Влад:	Я говорю на трёх языках: русском, литовском, английском и немного на китайском.
Кристина:	Я говорю на английском, испанском и немецком. В будущем я хочу выучить французский.
Михаил:	Я свободно разговариваю по-английски и совсем немного по-немецки.

10   Какой ваш любимый цвет?

Оксана:	Мой любимый цвет – коричневый, если говорить о косметике, например. В одежде мне больше нравится синий.
Алексей:	Мой любимый цвет – синий. Он мне напоминает чистое ясное небо.
Вика:	Я люблю зелёный цвет, ведь это цвет природы. А также мне нравится розовый.
Артур:	Мой любимый цвет – красный; он напоминает мне о солнце и лете.
Танзиля:	Это зависит от настроения. Мои любимые цвета в хорошие дни – зелёный и жёлтый.
Самат:	Белый. Мне всегда нравился белый цвет. Он создаёт у меня ощущение чистоты.
Надя:	Зелёный цвет – это цвет травы и деревьев, поэтому он мой любимый цвет.
Дмитрий:	Чёрный, синий, зелёный, белый. Не могу сказать точно. Не задумывался.
Светлана:	Мне нравятся цвета голубой и розовый. Но мой любимый цвет – зелёный.
Вадим:	Красный – цвет страсти и возбуждения. Он помогает мне чувствовать себя лучше.
Аня:	У меня есть несколько любимых цветов: чёрный, жёлтый, фиолетовый, и белый.
Влад:	Мой любимый цвет – это чёрный, хотя мне ещё нравится тёмно-синий.
Кристина:	Мой любимый цвет – голубой. Это цвет моря и океана, цвет неба и свежего воздуха.
Михаил:	Мой любимый цвет – зелёный. Он успокаивает и настраивает на позитив.

11   Вы занимаетесь каким-нибудь спортом?

Оксана:	Я хожу в тренажёрный зал, занимаюсь фитнесом. Ещё мне очень нравится йога.
Алексей:	Сейчас никаким спортом не занимаюсь. Раньше любил играть в баскетбол.
Вика:	Я занимаюсь ещё со школы баскетболом. Очень люблю побросать мяч в кольцо.
Артур:	Я занимаюсь спортом с семи лет: дзюдо, плавание, киксбоксинг. Сейчас занимаюсь фитнесом.
Танзиля:	Я часто хожу в танцевальную студию и активно посещаю тренировки по йоге.

Самат:	Нет, сейчас я не занимаюсь спортом, разве что делаю зарядку каждое утро.
Надя:	Да, я посещаю тренажёрный зал уже на протяжении двух лет.
Дмитрий:	Никаким совершенно. Пару месяцев назад бегал и делал силовые упражнения, но вот обленился.
Светлана:	Нет, но я регулярно хожу в горы и веду активный образ жизни.
Вадим:	Сейчас спортом я не занимаюсь, так как у меня очень мало времени для этого.
Аня:	Раньше я часто играла в большой теннис, но сейчас, к сожалению, спортом заниматься не получается.
Влад:	Я занимаюсь волейболом, футболом, смешанными единоборствами и ещё я тренируюсь с олимпийской штангой.
Кристина:	Я занимаюсь конным спортом. Это очень полезно для здоровья , а лошади – прекрасные животные.
Михаил:	Я играю в хоккей на льду с шайбой. Я начал им заниматься в пять лет.

12   Что вы ели вчера на обед?

Оксана:	Вчера я ходила в кафе с подругой. Мы ели буррито с салатом и пили вино.
Алексей:	Вчера на обед я ел борщ и гречку с котлетой.
Вика:	Вчера на обед я ела жареный картофель с салатом из помидора и огурца.
Артур:	Вчера на обед я ел пасту с томатами и сыром, заправленную белым соусом с травами.
Танзиля:	У меня был вкуснейший суп с лапшой на обед, приготовленный мамой.
Самат:	Рагу из овощей, яблочный пирог и бутерброды с маслом и сыром.
Надя:	Вчера на обед я ела салат с помидорами, чечевичный суп и хлеб.
Дмитрий:	Вчера я ел макароны с кетчупом, салат, два пирожка с капустой и кусок пиццы.
Светлана:	На обед мы ели суп и плов. Первое блюдо – суп. Второе блюдо – плов.
Вадим:	Как обычно, я употреблял в пищу мясо. Я не могу жить без мяса.
Аня:	Вчера на обед я ела очень вкусный салат Цезарь и котлету с гречкой.
Влад:	Вчера на обед я съел целую миску картошки с мясом и овощами.

Кристина:	Вчера на обед я ела курицу с овощами. Я стараюсь есть полезную еду.
Михаил:	Вчера на обед у меня был борщ, а потом я ел рисовую кашу с котлетой.

13   Когда вы обычно встаёте?

Оксана:	Это зависит от моего расписания. Я стараюсь вставать раньше, но это не всегда получается.
Алексей:	Я встаю обычно в 8 утра, чтобы успеть собраться и доехать до работы.
Вика:	До рождения ребёнка я вставала в 10 утра, но сейчас встаю в 7.
Артур:	По будням я встаю около 8-8:30 утра, в выходные – в 10 утра.
Танзиля:	Я по натуре сова, поэтому я встаю не раньше 12 часов дня.
Самат:	Каждый день я стараюсь просыпаться в 9 утра. Это позволяет мне сделать много вещей до обеда.
Надя:	Обычно в 10 утра, но по выходным я встаю где-то ближе к обеду.
Дмитрий:	9-10 утра. Зависит, конечно же, от того, когда я лягу. Но ложусь я обычно поздно.
Светлана:	Я встаю рано утром. Я встаю в семь часов утра.
Вадим:	В будние дни я рано встаю – в семь или восемь часов утра.
Аня:	У меня довольно нестандартный график, поэтому иногда могу проснуться в 7 утра, а иногда – в 12 дня.
Влад:	Обычно я пытаюсь вставать в 6 утра чтобы сделать больше работы утром.
Кристина:	Обычно я встаю достаточно поздно, в 10-11 часов утра. У меня свободный график, чему я рада.
Михаил:	Как правило, в будни я встаю около восьми часов утра.

14   Что вы любите из еды?

Оксана:	Я просто обожаю сыр. Сыр можно есть всегда и с любой другой едой.
Алексей:	Я люблю разную еду. Больше всего люблю русские супы: борщ, щи, окрошку.
Вика:	Я очень люблю сладкое: конфеты, торты, печенье, десерты. А ещё мне нравится мороженое.
Артур:	Из еды я могу выделить разнообразные блюда из картофеля: картофель айдахо, фри и драники.

Танзиля:	Мне очень нравятся блюда, состоящие из картошки, мяса и овощей. Сладости я не люблю.
Самат:	Блюда из овощей, острую и нежареную пищу, а также фрукты.
Надя:	Я обожаю кушать блюда из свежих овощей, потому что это вкусно и полезно.
Дмитрий:	Грибницу (национальный уральский крем-суп из грибов), блюда из капусты, окрошку.
Светлана:	Я люблю есть разные салаты из овощей. Предпочтение отдаю вегетарианской еде.
Вадим:	Мои любимые блюда содержат мясо, овощи. Люблю я и рыбу.
Аня:	Я очень люблю поесть и не особо придирчива. Особенно люблю итальянскую и корейскую кухни.
Влад:	Я очень большой сладкоежка и обожаю шоколад, но теперь я стараюсь есть меньше шоколада.
Кристина:	Я очень люблю свежие фрукты и овощи, сыр, орехи и шоколад.
Михаил:	Я не гурман, но очень люблю макароны с сыром и картофельное пюре.

15 Какой у вас любимый актёр или актриса?

Оксана:	Из российских актёров – Данила Козловский. Сейчас он на пике популярности в России.
Алексей:	У меня нет любимого актёра или актрисы. Я не часто смотрю кино.
Вика:	Я люблю смотреть фильмы с участием Адама Сендлера и Шарлиз Терон.
Артур:	У меня нет любимых актёра и актрисы, но если выделить кого-то определённого – Саймон Пегг.
Танзиля:	Мне нравятся многие признанные актёры, но больше всего Майкл Фассбендер.
Самат:	В детстве я был фанатом Джеки Чана. Сейчас же я люблю фильмы с Томом Хэнксом.
Надя:	Мой любимый актёр – это Джони Депп. Меня восхищают его образы.
Дмитрий:	Мой любимый актёр и режиссёр – Александр Гаврилович Абдулов. Любимой актрисы нет.
Светлана:	Киану Ривз. Очень хороший актёр. Мне нравятся фильмы с его участием.
Вадим:	Мэтт Деймон, Леонардо ди Каприо и Бред Питт – мои самые любимые актёры.
Аня:	Мой любимый актёр – Леонардо Ди Каприо. Я считаю, что он самый талантливый актёр нашего времени.

Влад:	У меня нет любимого актёра. Я предпочитаю просто наслаждаться фильмом.
Кристина:	Мне нравится Леонардо ди Каприо. Он прекрасный актёр, который сыграл во многих фильмах.
Михаил:	Мой любимый актёр – Сильвестр Сталлоне. Я очень люблю периодически пересматривать фильмы с его участием.

16   Во что вы сегодня одеты?

Оксана:	Сегодня я дома, поэтому я в домашней одежде – в шортах и футболке.
Алексей:	Сегодня пятница, поэтому на работу я пришёл в джинсах и футболке.
Вика:	Сегодня на мне белая футболка, синие джинсы и серые кроссовки.
Артур:	Сегодня на мне рубашка винного цвета и джинсы. Я обут в коричневые кожаные туфли.
Танзиля:	В связи с жаркой погодой я одета легко, только майка и шорты.
Самат:	Утром я носил футболку и штаны, днём я носил рубашку и джинсы.
Надя:	Я одела чёрную футболку и джинсовые шорты, а ещё на мне сумка от Zara.
Дмитрий:	Я одет в чёрную футболку Hate Forest, чёрные джинсы и чёрные носки.
Светлана:	Я одеваю разную одежду в течение дня. Сейчас я одета в шорты и футболку.
Вадим:	Сегодня моя одежда достаточно проста: джинсы и джемпер. Позволяют чувствовать себя удобно.
Аня:	Сегодня я одета в достаточно спортивном стиле: джинсы, толстовка и кроссовки.
Влад:	Сегодня я одет в удобную спортивную форму, в ней мне намного приятней работать.
Кристина:	Сегодня я одета в чёрное платье. Я всегда стараюсь одеваться женственно и часто ношу платья.
Михаил:	На мне одеты спортивные штаны и майка с коротким рукавом.

17   Как часто вы болеете?

Оксана: Я живу в Сибири, поэтому каждую зиму я точно болею, к сожалению.
Алексей: Я болею нечасто. Иногда бывает разве что простуда зимой.
Вика: Я болею очень редко. Как правило, могу простудиться или подхватить ангину.
Артур: Я не очень часто болею, может быть два раза в год, и то лёгкой простудой.
Танзиля: Болею я довольно редко, примерно два-три раза в год.
Самат: Нечасто. Я стараюсь не подвергать себя риску заболеть и поддерживаю чистоту дома.
Надя: Я очень редко болею, максимум два раза в год. У меня хороший иммунитет.
Дмитрий: Я часто страдаю от головных болей, так как у меня вегето-сосудистая дистония. Каждую неделю.
Светлана: Я болею очень редко. Ведите здоровый образ жизни. Это вас убережёт от многих болезней.
Вадим: Моё здоровье достаточно крепкое и я болею всего один или два раза в год.
Аня: К счастью, я не очень часто болею. В год обычно болею всего примерно два раза.
Влад: Я хорошо себя чувствую. Уже не помню, когда я последний раз болел.
Кристина: К счастью, я болею очень редко. Может быть один или два раза в год .
Михаил: В течение года я болею редко. Буквально один или два раза в год.

18   Что вы делали сегодня утром?

Оксана: Сегодня утром я работала. Я встала в семь утра. Для меня это рановато.
Алексей: Сегодня утром я проснулся, умылся, позавтракал и поехал на работу.
Вика: Сегодня утром я приготовила завтрак и отправилась за покупками на рынок.
Артур: Сегодня утром я выполнял рутинные дела по дому: готовил на день и сделал небольшую уборку.
Танзиля: Сегодня я с утра немного поработала, а позже приготовила завтрак из хлопьев и молока.
Самат: Приготовил завтрак, сделал зарядку и немного позанимался переводом веб-комикса.

Надя:	Сегодня утром я проснулась, затем вышла на улицу на пробежку.
Дмитрий:	Сегодня утром я пытался уехать из Екатеринбурга в Сухой Лог и это у меня получилось.
Светлана:	Я гуляю утром с собакой. Я сегодня утром учила английский.
Вадим:	Я проснулся и позавтракал, после чего на машине отправился на работу.
Аня:	Сегодня утром до работы я сделала зарядку и поела вкусный завтрак.
Влад:	Сегодня утром я сделал зарядку сразу же как встал, позавтракал и начал работать.
Кристина:	Сегодня утром я встала, приняла душ, почистила зубы, позавтракала и убрала у себя в комнате.
Михаил:	Сегодня утром я позавтракал, умылся, оделся и поехал на работу.

19 Какое время года или погода вам нравится?

Оксана:	Сложный вопрос! Я люблю лето, но не самую жаркую погоду. Обожаю плавать и загорать.
Алексей:	Больше всего мне нравится зима. Я очень люблю снег и кататься на коньках.
Вика:	Мне нравится весна, поскольку именно в это время года на улице очень свежо и красиво.
Артур:	Мне определённо нравится лето за его солнечные и долгие дни.
Танзиля:	Я предпочитаю прохладу и ветер, поэтому мои любимые сезоны – это зима и осень.
Самат:	Я люблю осень и зиму, может потому что я из Сибири и мне нравится холод.
Надя:	Мне нравится лето, потому что летом самые красивые и необычные закаты.
Дмитрий:	Любое, не могу выбрать конкретно. У любого времени года есть свои плюсы и минусы.
Светлана:	Всё зависит от времени года и погоды. Зимой я люблю снег, а осенью дождь.
Вадим:	Я всегда люблю тепло, поэтому лето я люблю больше всего.
Аня:	Моё любимое время года – осень. Мне очень нравится, когда на улице сухо и довольно прохладно.
Влад:	Я больше всего предпочитаю зимнее время года, когда холодно и снега много.
Кристина:	Моё любимое время года – весна. Теплеет, всё расцветает и природа становится красивой.

Михаил:	Моя любимая пора года – лето, так как в это время тепло и можно купаться.

20   Вам нравится петь или танцевать?

Оксана:	Танцевать. Я всегда любила движение. Танцевать под хорошую громкую музыку – это классно!
Алексей:	Я не очень люблю петь или танцевать. Никогда профессионально этим не занимался.
Вика:	Я просто обожаю петь и не могу прожить и дня без танцев.
Артур:	Мне нравится и петь, и танцевать, особенно после бокала вина.
Танзиля:	Я обожаю танцевать. Мои любимые стили – это реггатон и дэнсхолл.
Самат:	Нет, я не люблю ни то, ни другое. Хотя подпеваю, когда я слушаю музыку один.
Надя:	Я люблю танцевать, ведь во время танца я забываю обо всём и просто наслаждаюсь музыкой.
Дмитрий:	Нравится, но я не умею ни петь, ни танцевать. Иногда под гитару получается сносно.
Светлана:	Да, мне нравится петь и танцевать. Когда праздник, мы поём и танцуем.
Вадим:	Раньше я любил танцевать, но после того как стал старше, не люблю это.
Аня:	Я больше люблю петь, чем танцевать. Я очень люблю ходить в караоке с друзьями.
Влад:	Я не очень хорошо пою, а танцую ещё хуже, чем пою.
Кристина:	Я очень люблю танцевать. Танцы – это не только удовольствие, но и хорошая физическая нагрузка.
Михаил:	К сожалению, я не умею танцевать, а вот петь люблю.

21   Какого цвета у вас глаза и волосы?

Оксана:	Карие глаза и тёмно-русые волосы. Кстати, слово "русские" произошло от цвета волос – "русый".
Алексей:	Я брюнет, у меня коричневые волосы. Глаза карие, то есть тоже коричневые.
Вика:	Цвет моих волос чёрный, а моих глаз – серо-зелёный. Но натуральный цвет моих волос – русый.
Артур:	У меня светло-русые волосы и глаза карего цвета. Нечастое явление.

Танзиля:	Мои глаза карие, а волосы русые с рыжим отливом на солнце.
Самат:	У меня не тёмные волосы, наверное меня можно назвать шатеном.
Надя:	Глаза тёмно-зелёного цвета, а волосы у меня светло-коричневые.
Дмитрий:	У меня серые глаза и русые волосы тёмного оттенка. Раньше глаза часто бывали красными.
Светлана:	Мои глаза зелёного цвета. Я шатенка, мои волосы каштанового цвета.
Вадим:	Мои волосы тёмные сейчас, хотя раньше были светлыми. А глаза просто серые.
Аня:	У меня тёмно-карие глаза и коричневые, почти чёрные, волосы.
Влад:	Цвет моих глаз – серо-зелёные, а цвет волос у меня – светло-коричневые.
Кристина:	У меня карие глаза и светлые волосы. Это очень распространённое сочетание в моем городе.
Михаил:	Мои глаза зелёного цвета, а волосы у меня – насыщенного чёрного цвета.

22   Какой у вас любимый праздник?

Оксана:	Конечно же Новый Год! Это сказочная ночь, когда веришь в чудеса.
Алексей:	Мой любимый праздник – Новый Год. Очень люблю традицию наряжать ёлку.
Вика:	Мой любимый праздник – это Новый Год с его невероятной атмосферой и подарками.
Артур:	Мой любимый праздник – Новый Год. Фейерверки и гулянья – привычная картина в России.
Танзиля:	Мой самый любимый праздник – Новый Год. Самое лучшее в нём – ощущение сказки и таинственности.
Самат:	Я люблю майские праздники, потому что благодаря им я получаю несколько выходных.
Надя:	Новый Год – мой самый любимый праздник, потому что это праздник волшебства.
Дмитрий:	Конечно же мой собственный день рождения. Ещё я уважаю день космонавтики.
Светлана:	Мой самый любимый праздник – Рождество. Мы наряжаем ёлку и под неё кладём подарки.
Вадим:	Новый Год любят многие наши сограждане, включая меня. Подчас больше, чем Рождество.

Аня:	Мой любимый праздник – это Масленица. Я очень люблю праздновать его с друзьями поеданием блинов.
Влад:	Мой самый любимый праздник – это Рождество и рождественские каникулы зимой.
Кристина:	Мой любимый праздник – мой собственный день рождения, потому что это мой день.
Михаил:	Мой самый любимый праздник – Новый Год. Это время, когда вся семья собирается вместе.

23   Вы умеете водить машину?

Оксана:	У меня есть водительское удостоверение (в народе – "права"), но, к сожалению, у меня нет практики.
Алексей:	У меня есть водительские права, но собственной машины пока нет.
Вика:	Я умею водить машину, но за руль сажусь не очень часто.
Артур:	Конечно, у меня есть удостоверение на управление легковым транспортным средством.
Танзиля:	Да, я умею водить машину. Я получила водительские права три года назад.
Самат:	Да, у меня есть водительские права категории В. Я получил их два года назад.
Надя:	Да, конечно. Я научилась водить машину в 17 лет в автошколе.
Дмитрий:	Да, но за рулём не был уже три года, так что скорее – нет.
Светлана:	Да, я умею водить машину очень хорошо. Мой стаж вождения 17 лет.
Вадим:	Я вожу машину с две тысячи восьмого года. Сейчас у меня третья машина.
Аня:	Теоретически я умею водить машину, а вот над практикой ещё надо поработать.
Влад:	К сожалению, я ещё не научился водить машину, хотя опыт вождения у меня есть.
Кристина:	Я не умею водить машину. Я обязательно получу водительские права в следующем году.
Михаил:	Я получил права 12 лет назад и очень хорошо вожу автомобиль.

24   Где вы обычно встречаетесь с друзьями?

Оксана:	Обычно мы встречаемся в кафе зимой и на природе летом.
Алексей:	Мы с друзьями любим гулять в парках Москвы и по центру города.
Вика:	Обычно я встречаюсь с друзьями в парке или в кафе.
Артур:	Обычно я и мои друзья встречаемся в баре или у меня дома.
Танзиля:	В последнее время мы общаемся и отдыхаем в барах и караоке.
Самат:	Чаще всего у них дома. Я чувствую, что немного перерос посиделки в кафе.
Надя:	Я предпочитаю встречаться с друзьями в тихих местах, таких, как парк, кафе или ресторан.
Дмитрий:	Я встречаюсь с друзьями на улице, неподалёку от какого-нибудь магазина, служащего нам ориентиром.
Светлана:	Я встречаюсь с друзьями в кафе. Я хожу в гости к друзьям.
Вадим:	Мы встречаемся в кафе или на даче, хорошо проводя время.
Аня:	Обычно мы с друзьями встречаемся в кафе и ресторанах. Также, мы любим ходить в кино.
Влад:	Я люблю встречаться с друзьями в центре города в заведении под названием Вафельная.
Кристина:	С друзьями я часто хожу в кино и по магазинам, иногда мы ходим в кафе.
Михаил:	Со своими друзьями я чаще всего встречаюсь дома или в кафе.

25   Что из еды вам не нравится?

Оксана:	Мне не нравится очень жирная еда. После такой еды я плохо себя чувствую.
Алексей:	Я не очень люблю суши. Не очень приятно есть сырую рыбу.
Вика:	Я не люблю морепродукты и практически все виды мяса, кроме курицы.
Артур:	Из еды мне не нравятся голубцы, холодец и фаршированный перец.
Танзиля:	Я не могу терпеть и питаю отвращение к жиру в мясе и варёному луку.
Самат:	Жирная пища, свинина, слишком сладкие блюда, рыба, не прошедшая термическую обработку.
Надя:	Мне не нравится есть мучные блюда, потому что это вредно для здоровья.
Дмитрий:	Морепродукты, помидоры, цветная капуста, кисломолочные продукты, мёд, лечо, кабачковая икра.

Светлана:	Мне не нравится гречневая каша. Когда я была маленькой, я её ела очень много.
Вадим:	Я не люблю варёную кожу и варёный лук, а также жирную пищу.
Аня:	Мне не очень нравится слишком сладкая еда. Например, слишком приторный шоколад я стараюсь обходить стороной.
Влад:	Я не люблю изюм. Мне он очень противен и неприятен.
Кристина:	Я не люблю жирное мясо и всю жирную еду. Не люблю фаст-фуд.
Михаил:	Я не люблю овсяную кашу, малиновое варенье и зелёные оливки.

26 Чего вы боитесь больше всего?

Оксана:	Я стараюсь не думать о таких вещах, но война – это самое страшное, что может быть.
Алексей:	Больше всего я боюсь высоты, поэтому с парашютом никогда не прыгну.
Вика:	Больше всего я боюсь возникновения проблем со здоровьем у себя и у своих близких.
Артур:	Больше всего я боюсь упустить время и потратить его впустую.
Танзиля:	Меня пугает ощущение неизвестности и неопределённости. От этих чувств я цепенею.
Самат:	Проснуться однажды утром и осознать, что за свою жизнь я не сделал ничего стоящего.
Надя:	Больше всего я боюсь утонуть. Этот страх преследует меня с детства.
Дмитрий:	Снова попасть в тюрьму. Вряд ли мне так же повезёт, как в первый раз.
Светлана:	Я мало чего боюсь, но больше всего я боюсь высоты.
Вадим:	Больше всего я боюсь насильственной смерти, что меня застрелят, например.
Аня:	Больше всего я боюсь высоты, а точнее то чувство, когда под тобой нет никакой опоры.
Влад:	Наверное, больше всего я боюсь, что у меня ничего не получится.
Кристина:	Больше всего я боюсь высоты. Я даже на своём балконе не люблю стоять.
Михаил:	Больше всего я боюсь потерять своих родных и близких людей.

27   Как вы сегодня себя чувствуете?

Оксана:	Сегодня я чувствую себя отлично. Утром у меня уже были уроки с любимыми студентами.
Алексей:	Сегодня в Москве солнце, поэтому у меня очень хорошее настроение.
Вика:	Сегодня я чувствую себя просто великолепно, ведь за окном стоит такая прекрасная погода.
Артур:	Сегодня я чувствую себя отлично, потому что удалось выполнить много профессиональных задач.
Танзиля:	Моё самочувствие отличное на текущее время, хотя хочется немного спать.
Самат:	Отлично, не болею, а благодаря интернету и книге ещё и не скучаю.
Надя:	Прекрасно, правда немного болит голова. Наверное, после дождя я заболела.
Дмитрий:	Я чувствую себя взвинченным, хоть и усталым, впереди две недели отдыха.
Светлана:	Спасибо. Я себя чувствую хорошо. Меня ничего не беспокоит и у меня хорошее настроение.
Вадим:	Сегодня я чувствую себя прекрасно, как, впрочем, и всегда. Я чувствую бодрость и желание жить.
Аня:	Сегодня я чувствую себя прекрасно. За окном моя любимая погода, и впереди ждёт продуктивный день.
Влад:	Я чувствую себя хорошо. Вчера я играл в волейбол, и это меня заряжает энергией на всю неделю.
Кристина:	Я чувствую себя отлично. Я выспалась и готова к началу рабочего дня.
Михаил:	В целом, я чувствую себя неплохо. Однако, немного болит голова.

28   Что вы собираетесь делать завтра?

Оксана:	Завтра суббота, поэтому если будет хорошая погода, то мы с парнем поедем на природу.
Алексей:	Завтра выходной, поэтому мне не надо идти на работу. Пойду гулять с друзьями.
Вика:	Завтра я хочу проведать своих родителей и посмотреть новый фильм.
Артур:	Завтра я пойду на работу, впрочем как и сегодня. Рутина!
Танзиля:	Завтра наша страна отмечает День Независимости, следовательно я планирую отдыхать.

Самат:	Поеду к родственникам в деревню, а после этого навещу родителей.
Надя:	Завтра я собираюсь посмотреть футбол с друзьями в спорт-баре.
Дмитрий:	Работать, заниматься музыкой и немецким языком, вечером с друзьями пива попью.
Светлана:	Завтра мне надо закончить видеоклип. Эта работа занимает много времени.
Вадим:	Работать в офисе, как я делаю это каждый день с понедельника по пятницу.
Аня:	Завтра я собираюсь пойти на работу, а после работы мы с коллегами пойдём гулять.
Влад:	Завтра я собираюсь пойти в спортзал и попробовать что-то новое.
Кристина:	Завтра я собираюсь работать, убрать в квартире и встретиться с друзьями.
Михаил:	Завтра рабочий день, поэтому с утра я поеду на работу.

29   Какое у вас хобби?

Оксана:	Моё хобби – это изучение языков. Сейчас я учу португальский. Мне очень нравится, как он звучит!
Алексей:	Я очень люблю авиацию. Люблю как летать, так и фотографировать с земли самолёты.
Вика:	Я очень люблю создавать что-нибудь своими руками. Мне нравится вышивать и вязать.
Артур:	У меня много хобби, но самые любимые – чтение, спорт и путешествия.
Танзиля:	С детства и до настоящего времени у меня было увлечение техническими науками, особенно программированием.
Самат:	Чтение, интернет, просмотр кино и сериалов, а также компьютерные игры.
Надя:	Я очень люблю читать книги. Мой самый любимый жанр – это детектив.
Дмитрий:	Я занимаюсь музыкой: слушаю музыку, пишу, продюсирую, исполняю. Мой основной инструмент – бас-гитара.
Светлана:	Я собираю почтовые марки. Моя работа – моё хобби: я люблю делать разные фильмы.
Вадим:	Медицина – это профессия, но она же и хобби, как и английский язык.
Аня:	У меня есть несколько хобби: рисование, пение, и изучение иностранных языков.

Влад:	Моё хобби – это изучение китайского языка, и ещё я учу других, как на нём говорить.
Кристина:	Моё хобби – изучение иностранных языков. Я знаю английский, немецкий и испанский.
Михаил:	Моё хобби – это хоккей. Этот вид спорта помогает развивать силу и выносливость.

30   Как бы вы описали себя как личность?

Оксана:	Я честная, воспитанная девушка. Наверное, очень требовательна к себе и к другим.
Алексей:	Я достаточно спокойный человек, немного замкнутый, но дружелюбный и приветливый.
Вика:	Могу сказать, что я ответственный, творческий, справедливый, добросовестный и надёжный человек.
Артур:	Весёлый, общительный, усидчивый и легко обучаемый. Неплохое начало для резюме, согласитесь.
Танзиля:	Основываясь на словах моих близких друзей, меня можно описать как человека целеустремлённого и жизнерадостного.
Самат:	Я довольно замкнутый человек, предпочитаю делать всё сам, но не против заводить знакомства с другими людьми.
Надя:	Я бы себя описала как очень целеустремлённую личность с амбициями.
Дмитрий:	Окружён, но не сломлен! После наркозависимости и тюрьмы я продолжаю жить и искать лучшую долю.
Светлана:	Я творческая, общительная. Довожу все свои дела до конца, перед трудностями не пасую.
Вадим:	Я спокоен и дружелюбен, трудолюбив и пунктуален. Я люблю общаться и выполнять разные задачи.
Аня:	Я бы описала себя как самостоятельную личность, любящую общение с людьми и новые приключения.
Влад:	Я очень дружелюбный, мне легко даётся общение с людьми. Я быстро нахожу общий язык.
Кристина:	Я открытая, любознательная, надёжная, хороший друг, ответственная, добрая, трудолюбивая, весёлая.
Михаил:	Я спокойный и рассудительный человек, который не склонен к риску.

lingualism

Visit our website for information on current and upcoming titles, free excerpts, and language learning resources.

www.lingualism.com

12517061R00116

Made in the USA
Lexington, KY
22 October 2018